W9-AQJ-728

Les

GRANDS SAVANTS

Français

Les GRANDS SAVANTS Français

LECTURES SCIENTIFIQUES

EDITED WITH NOTES

AND VOCABULARY

BY

LOUIS FURMAN SAS, PH.D.

THE COLLEGE OF THE CITY
OF NEW YORK

APPLETON–CENTURY–CROFTS, INC.

NEW YORK

654-9

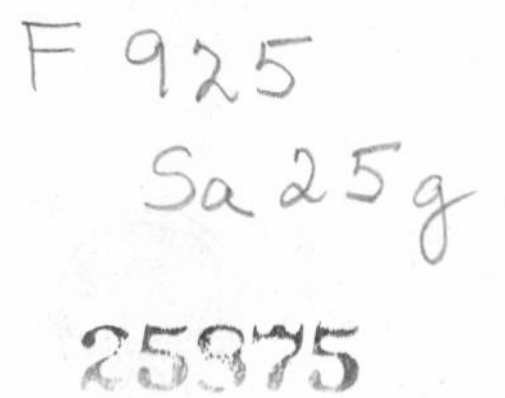

MANUFACTURED IN THE UNITED STATES OF AMERICA

E 77904

To
FÉLIX WEILL

Preface

This volume is an attempt to answer the request so frequently made by teachers and students for a French science reader which is not too technical. It is a cultural scientific reader designed to meet the needs of students both in the sciences and in the arts.

It is the purpose of this reader to acquaint American students with the lives and achievements of the great scientists of France. An understanding of the culture of a country involves a study of all the aspects of its heritage, the sciences as well as the arts. Students of French should be familiar not only with the great literary figures of France but also with her scientific giants, especially since there is scarcely a science in which the French do not hold a prominent position. The student should be introduced to the writings and experiments of Lavoisier, of Claude Bernard, of Pierre and Marie Curie. He can gain both knowledge and inspiration from reading about men like Pierre Fermat, François Arago, and Ferdinand de Lesseps. His cultural horizon will be broadened by the excellent prose and logical thinking of Blaise Pascal and Henri Poincaré. All these men contributed greatly to French civilization, and it is my belief that a well-planned series of courses in French should at least introduce the student to these great men and the part they played in the history of the sciences.

I have sought to include selections which all students could read with pleasure and profit. In order to secure a desirable variety in language, I have drawn articles from all possible sources: books, periodicals, treatises, lectures, and newspapers.

I should like to express my thanks to the following publishers who have been kind enough to grant me permission to reproduce the selected material: Librairie Armand Colin, Librairie Vuibert, La Science et la vie, Librairie Valois, Les Éditions de France, Librairie Ernest Flammarion, Librairie Gallimard, J.-B. Baillière et Fils (publishers of La Science moderne), Librairie Plon, Payot, Librairie Félix Alcan, Les Éditions Denoël, Hermann et Cie, Éditions Bernard Grasset, Librairie Delagrave, Crès et Cie, Le Génie civil, L'Illustration, Gazette de Lausanne, Gringoire, Paris-Soir, and Librairie-Imprimerie Gauthier-Villars. Thanks are also due to Messieurs Robert Chenevier (of L'Illustration), Pierre Devaux, Joseph Kessel, and Maurice d'Ocagne, and to Mlle Ève Curie, for their kind permission to reprint extracts from their works.

I offer my sincere thanks to Dean Christian Gauss of Princeton University for his many valuable suggestions and helpful comments on the manuscript.

I am under obligation to my friends and colleagues Dr. Albert Gaudin, for his comments on certain portions of the manuscript, and Professor Francis L. Rougier, for the use of his material on Lavoisier.

I should like also to express my thanks to my friend Mr. Frank Tauritz for his help in the proofreading of the book.

In dedicating this volume to Professor Félix Weill, I wish to indicate not only my respect for a great teacher but also my appreciation for his having introduced me to this new and interesting field.

LOUIS FURMAN SAS

Table des Matières

Les GRANDS SAVANTS Français

Blaise Pascal

1623–1662

Blaise Pascal est universellement connu à cause de la précocité extraordinaire et de l'étonnante variété de son génie. Il montra dès l'enfance des dispositions remarquables pour les mathématiques. A l'âge de seize ans il composa un *Essai sur les coniques* [1] qui fut très admiré. Il inventa aussi une "machine arithmétique" [2] pour aider son père à faire sa comptabilité plus rapidement. Ses deux traités, *De l'équilibre des liqueurs* et *De la pesanteur de l'air*,[3] composés en 1651, contribuèrent à mettre fin aux théories erronées de l'ancienne physique, qui avaient pour elles toute l'autorité d'Aristote, que les savants de l'époque n'osaient contredire. A l'âge de trente ans, il décida de "se retirer du monde" et tourna ses pensées vers la religion. Il devint un des apôtres du jansénisme [4] et montra dans ses *Provinciales*,[5] ou *Lettres écrites par Louis de Montalte à un provincial de ses amis* (1656–1657), une force logique et une ironie mordante qu'on ne peut s'empêcher d'admirer. Cet homme, appelé par Chateaubriand "un effrayant génie," mourut dans sa trenteneuvième année. Après sa mort on trouva parmi ses papiers des notes qui furent publiées en 1670 sous le titre *Pensées de M. Pascal sur la religion et sur quelques autres sujets . . .* Ces *Pensées*, malgré leur manque d'organisation littéraire, sont un chef-d'œuvre de la prose française.

Blaise était alors âgé de huit ans. Pascal, le père, homme très instruit et mathématicien savant, déploya dans la culture de cette jeune intelligence un talent et une sollicitude qu'animait à tout instant la vue des
5 rapides progrès de son élève. Il lui parlait souvent des effets extraordinaires de la nature, comme la poudre à canon et d'autres choses qui surprennent quand on les considère. Blaise prenait grand plaisir à cet entretien; mais il voulait savoir les raisons de toutes choses; et
10 comme elles ne sont pas toutes connues, lorsque son père ne les disait pas, ou qu'il disait celles qu'on allègue d'ordinaire, qui ne sont proprement que des défaites, cela ne le contentait pas. Car il a toujours eu une netteté d'esprit admirable pour discerner le faux. On
15 peut dire que toujours et en toutes choses la vérité a été le seul objet de son esprit, puisque jamais rien ne l'a pu satisfaire que sa connaissance. Ainsi, dès son enfance, il ne pouvait se rendre qu'à ce qui lui paraissait vrai; de sorte que, quand on ne lui disait pas de bonnes
20 raisons, il en cherchait lui-même. Quand il s'était attaché à quelque chose, il ne la quittait point qu'il n'en eût trouvé une raison qui pût le satisfaire.[6]

Ainsi, ayant remarqué, un jour à table, qu'un plat de faïence frappé avec un couteau avait rendu un son
25 prolongé et qu'on avait arrêté ce son en posant le doigt sur le plat, il voulait savoir la cause de ce phénomène. Puis, s'étant mis à réfléchir aux divers modes de production du son, il composa sur ce sujet un traité qui fut très bien raisonné. Il avait alors douze ans.

A la même époque se révélèrent son goût et son aptitude incroyables pour la géométrie. Son père avait jugé prudent de modérer plutôt que de stimuler ses dispositions au travail. Désirant d'ailleurs lui faire apprendre les langues anciennes, il le tenait à dessein éloigné des mathématiques, de crainte de le fatiguer en l'occupant de trop de choses à la fois. Il prit même la précaution de serrer sous clef ses livres de mathématiques et de n'en jamais parler avec ses amis en présence de son fils. Cela même excitait la curiosité de l'enfant, qui le priait souvent de lui enseigner cette science. Son père lui promit de le faire lorsqu'il saurait bien le latin et le grec; mais l'enfant insista, demandant qu'on lui dît au moins ce que c'était que la géométrie. Son père lui répondit d'une manière générale que c'était le moyen de faire des figures justes et de trouver les rapports et proportions de ces figures et de leurs parties entre elles.

Il n'en fallut pas davantage pour mettre Blaise sur la voie de découvrir lui-même ce qu'on refusait de lui faire voir. Il se mit à songer pendant ses heures de loisir; et les murs et le plancher de la salle où il prenait ses récréations furent bientôt couverts de cercles, de triangles, de carrés tracés avec du charbon. L'enfant se fit des définitions, des axiomes, des théorèmes, et arriva ainsi, sans aucun secours, jusqu'à la trente-deuxième proposition du premier livre d'Euclide. Il en était là lorsqu'un jour son père, entrant à l'improviste dans la chambre, le surprit au milieu de ses recherches, où il était tellement occupé qu'il ne vit point qu'on l'observait. Il se trouva tout confus lorsqu'il entendit une voix bien connue lui demander ce qu'il faisait là.

Incapable de mensonge, il avoua en rougissant qu'il était en train de chercher une démonstration logique de

cette proposition, que "la somme des trois angles d'un triangle est égale à deux angles droits." Pressé de questions, il expliqua les autres démonstrations qu'il avait trouvées et qui l'avaient conduit à celle-là. Seule-
5 ment, comme il ignorait les termes scientifiques, il se servait des noms vulgaires. Il appela un cercle un *rond*, une ligne une *barre*, et ainsi de suite.

Son père dit qu'il ne trouvait pas juste de captiver plus longtemps cet esprit et de lui cacher encore cette
10 connaissance; qu'il fallait lui laisser voir les livres sans le retenir davantage.

Adapted from A. Mangin, *Les Savants illustres de la France*

Quelques pensées — Pascal

L'homme n'est qu'un roseau, le plus faible de la nature, mais c'est un roseau pensant. Il ne faut pas que l'univers entier s'arme pour l'écraser. Une vapeur,
15 une goutte d'eau, suffit pour le tuer. Mais quand l'univers l'écraserait,[7] l'homme serait encore plus noble que ce qui le tue, parce qu'il sait qu'il meurt; et l'avantage que l'univers a sur lui, l'univers n'en sait rien.

Toute notre dignité consiste donc en la pensée. C'est
20 de là qu'il faut nous relever, non de l'espace et de la durée, que nous ne saurions remplir.[8] Travaillons donc à bien penser: [9] voilà le principe de la morale.

Que l'homme contemple [10] donc la nature entière dans sa haute et pleine majesté; qu'il éloigne sa vue des objets bas qui l'environnent; qu'il regarde cette éclatante lumière mise comme une lampe éternelle pour éclairer l'univers; que la terre lui paraisse comme un point, au prix du vaste tour que cet astre décrit; et qu'il s'étonne de ce que ce vaste tour lui-même n'est qu'un point très délicat à l'égard de celui que les astres qui roulent dans le firmament embrassent. Mais si notre vue s'arrête là, que l'imagination passe outre; elle se lassera plus tôt de concevoir que la nature de fournir. Tout ce monde visible n'est qu'un trait imperceptible dans l'ample sein de la nature. Nulle idée n'en approche. Nous avons beau enfler nos conceptions au delà des espaces imaginables: nous n'enfantons que des atomes, au prix de [11] la réalité des choses. C'est une sphère infinie dont le centre est partout, la circonférence nulle part.[12] Enfin c'est le plus grand caractère sensible de la toute-puissance de Dieu que notre imagination se perde dans cette pensée.

L'horreur du vide — Pascal

On apprit par toutes ces expériences que l'eau ne s'élève que jusqu'à une certaine hauteur; mais on n'apprit pas qu'elle s'élevât plus haut dans les lieux plus profonds: on pensait, au contraire, qu'elle s'élevait toujours à la même hauteur, qu'elle était invariable en tous les lieux du monde; et comme on ne pensait point à la pesanteur de l'air, on s'imagina que la nature de la pompe est telle, qu'elle élève l'eau à une certaine hauteur limitée, et puis plus.[13] Aussi Galilée la considéra comme la hauteur naturelle de la pompe, et il l'appela *la altezza* [14] *limitatissima.*[15]

Aussi comment se fût-on imaginé que cette hauteur eût été variable, suivant la variété des lieux? Certainement cela n'était pas vraisemblable; et cependant cette dernière erreur mettait encore hors d'état de prouver que la pesanteur de l'air est la cause de ces effets; car comme elle est plus grande sur le pied des montagnes que sur le sommet, il est manifeste que les effets y seront plus grands à proportion.

C'est pourquoi je conclus qu'on ne pouvait arriver à cette preuve, qu'en faisant l'expérience en deux lieux élevés l'un au-dessus de l'autre, de quatre cents ou cinq cents toises; et je choisis pour cela la montagne du Puy-de-Dôme en Auvergne.[16] * * *

Cette expérience ayant découvert que l'eau s'élève dans les pompes à des hauteurs toutes différentes, suivant la variété des lieux et des temps, et qu'elle est toujours proportionnée à la pesanteur de l'air, elle acheva de donner la connaissance parfaite de ces effets; elle termina tous les doutes; elle montra quelle en est la véritable cause; elle fit voir que l'horreur du vide ne l'est pas; et enfin elle fournit toutes les lumières qu'on peut désirer sur ce sujet.

Qu'on rende raison [17] maintenant, s'il est possible, autrement que par la pesanteur de l'air, pourquoi les pompes aspirantes élèvent l'eau plus bas d'un quart sur le Puy-de-Dôme en Auvergne qu'à Dieppe.

Pourquoi [18] un même siphon élève l'eau et l'attire à Dieppe, et non pas à Paris.

Pourquoi deux corps polis, appliqués l'un contre l'autre, sont plus faciles à séparer sur un clocher que dans la rue.

Pourquoi un soufflet bouché de tous côtés est plus

facile à ouvrir sur le haut d'une maison que dans la cour.

Pourquoi, quand l'air est plus chargé de vapeurs, le piston d'une seringue bouchée est plus difficile à tirer.

Enfin pourquoi tous ces effets sont toujours proportionnés au poids de l'air, comme l'effet à la cause. 5

Est-ce que la nature abhorre plus le vide sur les montagnes que dans les vallons, quand il fait humide que quand il fait beau? Ne le hait-elle pas également sur un clocher, que dans un grenier ou dans les cours? 10

Que tous les disciples d'Aristote assemblent tout ce qu'il y a de fort dans les écrits de leur maître et de ses commentateurs, pour rendre raison de ces choses par l'horreur du vide, s'ils le peuvent: sinon [19] *qu'ils reconnaissent que les expériences sont les véritables maîtres* 15 *qu'il faut suivre dans la physique;* que celle qui a été faite sur les montagnes, a renversé cette croyance universelle du monde, que la nature abhorre le vide, et ouvert cette connaissance qui ne saurait jamais plus périr, que la nature n'a aucune horreur pour le vide, 20 qu'elle ne fait aucune chose pour l'éviter, et que la pesanteur de la masse de l'air est la véritable cause de tous les effets qu'on avait jusqu'ici attribués à cette cause imaginaire.

Blaise Pascal, *Traité de la pesanteur de la masse de l'air*

René Descartes

1596–1650

Ce grand philosophe et mathématicien français naquit à La Haye (Indre-et-Loire). Après avoir été soldat, il visita l'Allemagne, la Hollande, vécut à Paris dans l'intimité des savants qui y brillaient alors, et se retira enfin en Hollande. Dans son ouvrage, le *Traité du monde*, il admettait avec Galilée le mouvement de la terre, mais il fit prudemment disparaître ce livre quand il apprit la condamnation [1] du grand savant italien. Le *Discours de la méthode* et les *Méditations sur la philosophie première* eurent un immense retentissement. Mais si Descartes trouva des admirateurs, il rencontra aussi des ennemis, qui cherchèrent à le perdre en l'accusant d'athéisme. Invité par la reine de Suède, Christine, à se rendre à la cour de Stockholm, il partit à la fin de 1649, mais il succomba à la rigueur du climat suédois et mourut à l'âge de cinquante-quatre ans.

On doit à Descartes de remarquables découvertes scientifiques. Ses méditations fondèrent la philosophie moderne, ruinèrent la scolastique [2] et donnèrent une nouvelle méthode pour diriger la pensée. Cette méthode qui, dans son ensemble, porte le nom de "cartésianisme" est résumée dans la phrase suivante: "Pour atteindre à la vérité, il faut une fois dans sa vie se défaire de toutes les opinions que l'on a reçues et reconstruire de nouveau, et dès le fondement, tous les systèmes de ses connaissances." Ses œuvres les plus importantes sont *Géométrie*, *Dioptrique*, *Méditations métaphysiques* et l'immortel *Discours de la méthode*.

Le siècle de Descartes — Caullery

Il faut arriver au XVIIe siècle pour que la pensée française devienne à son tour initiatrice et rayonne puissamment au dehors. Au premier rang de ces initiateurs, il faut placer Descartes. Son nom résume l'esprit de toute la Science pendant un siècle. 5

Descartes (1596–1650) reste encore aujourd'hui un des grands classiques de la philosophie: il personnifie l'affranchissement de la pensée moderne par rapport à la scolastique et au moyen âge. Il a créé les conditions essentielles à l'éclosion et au développement de la 10 pensée scientifique. Mais c'est, en même temps, un des grands créateurs de la science moderne elle-même, quoique, sur ce terrain, son œuvre n'ait plus qu'un intérêt rétrospectif. En tout cas, admise ou discutée, sa pensée a dominé, à peu près sans partage, le XVIIe 15 siècle et la première moitié du XVIIIe, où elle n'a que lentement cédé la place aux idées de Newton.[3] C'est là ce qui fait l'unité de l'époque, qui peut être vraiment appelée celle de la science cartésienne.

René Descartes n'était pas, lui non plus, un profes- 20 sionnel de la Science. Élevé au collège des Jésuites de La Flèche, il avait débuté par la carrière des armes, à l'époque de la guerre de Trente Ans;[4] puis, ayant quitté l'armée, il avait passé une série d'années à méditer librement, s'affranchissant ainsi de toute influence d'école. Dès 1629, il s'était établi en Hollande, alors la terre de liberté de l'esprit. Et encore ne s'y sentait-il pas en sécurité absolue, car, après la condamnation de Galilée, il détruisit, par prudence, le système du Monde qu'il avait composé. Son *Discours de la méthode*, publié en 1637, est le manifeste de la pensée moderne. Il y renverse tout le système de la scolastique et chasse tous les fantômes verbaux qu'elle avait érigés. Faisant, au préalable, table rase de tout cet édifice, il en reconstruit un nouveau, depuis la première pierre, fixant, pour ce faire,[5] des règles de raisonnement qui soient sûres et inattaquables et qui constituent la méthode de la pensée. De là doit découler toute la Science et Descartes, se fiant à ce guide, avec la hardiesse d'un génie qui ne doute pas de lui-même, entreprend la construction de la Science universelle, la basant autant que possible sur l'observation du réel, mais, dans sa hâte, n'attendant pas que celle-ci ait fourni [6] les matériaux et y suppléant par la déduction.

Le *Discours de la méthode* était d'ailleurs suivi, dès sa publication, des *Traités de la dioptrique*, des *Météores* et de la *Géométrie*, qui n'étaient que des applications de la méthode à des cas particuliers. Or, la *Géométrie* est une œuvre capitale dans le développement des Mathématiques, toute pleine d'idées et de résultats nouveaux. Descartes, pour la première fois, y emploie les ressources de l'algèbre; il est ainsi le créateur de la Géométrie analytique, qui a étendu d'une façon prodigieuse le domaine de la science géométrique. Il a fait aussi à l'algèbre des apports de grande importance. Il a eu de larges et justes vues en Mécanique, notamment sur le principe d'inertie et sur la valeur fondamentale de la notion de travail. Sa *Dioptrique*, où il applique les données de la Géométrie, est une œuvre considérable pour le progrès de l'optique, en particulier pour l'étude de la réfraction de la lumière; il y a posé, sinon résolu correctement, des problèmes fondamentaux. Il en a déduit la théorie des instruments d'optique, et, en particulier, de l'œil; il a eu l'intuition de perfectionnements qui n'ont été réalisés que beaucoup plus tard et d'ailleurs sur d'autres principes. Il s'élève jusqu'à une explication complète de l'univers, ramenant tout au mouvement, c'est-à-dire à la mécanique et au calcul mathématique. Le monde n'est qu'un système de tourbillons:[7] il en est ainsi même du corps et du fonctionnement des êtres vivants. C'est sur ces idées que le XVIIe siècle a vécu. Certes, ces conceptions de Descartes ont, depuis, fait place à d'autres, qui se sont plus d'une fois renouvelées, mais n'est-ce pas un apport formidable à la Science que d'avoir substitué aux idées anciennes un système de pensées embrassant la totalité du monde et qui, après s'être imposé en bloc pendant un siècle, a laissé des traces profondes et bien des résultats définitifs?

Maurice Caullery, *La Science française depuis le XVIIe siècle*, Librairie Armand Colin, Paris

Les principes de la méthode scientifique

Descartes

1. Le premier était de ne recevoir jamais aucune chose pour vraie que [8] je ne la connusse évidemment être telle;

c'est-à-dire d'éviter soigneusement la précipitation et la prévention; et de ne comprendre rien de plus en mes jugements que ce qui se présenterait si clairement et si distinctement à mon esprit que je n'eusse aucune
5 occasion de le mettre en doute.

2. Le second, de diviser chacune des difficultés que j'examinerais en autant de parcelles qu'il se pourrait, et qu'il serait requis pour les mieux résoudre.

3. Le troisième, de conduire par ordre mes pensées,
10 en commençant par les objets les plus simples et les plus aisés à connaître, pour monter peu à peu, comme par degrés, jusques à [9] la connaissance des plus composés; et supposant même de l'ordre entre ceux qui ne se précèdent point naturellement les uns les autres.
15 Et le dernier, de faire partout des dénombrements si entiers, et des revues si générales, que je fusse assuré de ne rien omettre.

René Descartes, *Discours de la méthode*

Les bêtes-machines [10] Descartes

1. Les animaux n'ont pas de langage; et ceci ne témoigne pas seulement que les bêtes ont moins de
20 raison que les hommes, mais qu'elles n'en ont point du tout; car on voit qu'il n'en faut que fort peu pour savoir parler. Il n'y a point d'hommes si hébétés et si stupides qu'ils ne soient capables d'arranger ensemble diverses paroles; et au contraire il n'y a point d'animal, tant
25 parfait et tant heureusement né qu'il puisse être, qui en fasse autant.

2. Les mêmes animaux qui accomplissent avec perfection certains actes sont incapables d'adapter les moyens merveilleux dont ils disposent à la production d'actes légèrement différents: de sorte que ce qu'ils font mieux que nous ne prouve pas qu'ils ont de l'esprit, car à ce compte ils en auraient plus qu'aucun de nous et feraient mieux en toutes choses, mais prouve plutôt qu'ils n'en ont point, et que c'est la nature qui agit en eux, selon la disposition de leurs organes, ainsi qu'on voit qu'une horloge, qui n'est composée que de roues et de ressorts, peut compter les heures et mesurer le temps plus justement que nous avec notre prudence.

3. Après l'erreur de ceux qui nient Dieu, il n'y en a point qui éloignent plus les esprits du droit chemin de la vertu que d'imaginer que l'âme des bêtes soit de même nature que la nôtre et que par conséquent nous n'avons rien à craindre ni à espérer après cette vie non plus que les mouches et les fourmis.

René Descartes, *Discours de la méthode*

Pierre Fermat

1601–1665

Un homme de génie qui n'a jamais rien publié

d'Ocagne

Nul n'ignore [1] qu'au dix-septième siècle, dans le firmament français, deux astres de première grandeur ont brillé sur l'horizon mathématique: René Descartes et Blaise Pascal; cela tient à ce que la lumière répandue
5 par ces astres, débordant le cercle de cet horizon, n'a pas moins illuminé les domaines voisins des lettres et de la philosophie, ouverts à bien plus de regards. Mais on sait beaucoup moins que, si l'on s'en tient exclusivement à l'horizon mathématique, un autre astre, non
10 moins resplendissant, a, dans le même temps, brillé chez nous, et même, peut-on dire, avec un éclat plus vif encore. A ce troisième astre est attaché le nom de Pierre Fermat.

L'appréciation ici formulée se trouve hautement con-
15 firmée par Pascal lui-même, — Pascal, en qui personne ne songerait à voir un simple bénisseur, — qui dans une lettre adressée à Fermat, n'hésitait pas à lui déclarer: "Je vous tiens pour le plus grand géomètre de

tion d'une loi votée le 13 juillet 1882, sous l
n des deux parfaits érudits qu'ont été Pau
y et Charles Henry. Elles remplissent deu
volumes in-4°, de 440 et 514 pages, parus e
1894, qu'a complétés, en 1896, un troisièm
le 610 pages renfermant une excellente traduc
çaise, due à la plume particulièrement expert
Tannery, de toutes les parties des deux premier
rédigées en latin; si rares, en effet, sont de nos
lecteurs capables de saisir un texte latin à
ert!

ui possède la compétence voulue, la lecture
lumes est un délice; on y sent la marque du
génie; mais tout ce qui y a trait à la théorie
es s'enveloppe d'un certain mystère. L'au-
ffet, se contente d'énoncer de curieuses pro-
sans en donner les démonstrations, qu'il
tefois être en sa possession. Tout ce que
s de lui nous permet de lui accorder à ce
is large crédit; nous ne pouvons pourtant
signer à ignorer indéfiniment le pourquoi de
antes propositions. Quelques-uns des plus
hématiciens, venus après Fermat, — au
desquels Euler, Gauss, Cauchy, — se sont
percer le mystère de ces hautes vérités
s. Ils y ont réussi pour plusieurs d'entre
non sans d'assez rudes efforts, alors que
re, dans sa correspondance, qu'il y est
es voies les plus simples! On sait d'ailleurs
élèbre de ces théorèmes [3] reste encore à
ns sa pleine généralité. C'est ce qui fait
dire du génial auteur qu'il "savait des

toute l'Europe... Vos enfants portent le nom du premier homme du monde," cela étant dit, au reste, à la suite d'une discussion des plus courtoises qui avait amené Pascal à reconnaître le bien-fondé de la manière de voir de Fermat, son contradicteur sur certaine question de principe.

Fermat n'était, au surplus, pas homme à se laisser griser par de tels compliments, même venus de si haut! Son humilité, très sincère, le mettait en garde là-contre, prenant même à l'occasion une forme touchante! Descartes, avec qui il s'était également trouvé en opposition de vue sur une autre question de science, Descartes, dont l'esprit dominateur supportait mal la moindre contradiction, se laissa aller à l'accabler d'un dédain non déguisé. Loin de se montrer offensé d'une attitude si peu justifiée (et d'autant moins que c'est lui qui avait raison), le bon Fermat se contenta de dire: "M. Descartes ne saurait m'estimer si peu que je ne m'estime encore moins." Et telle fut son absence de rancune à ce propos qu'après la mort de son illustre adversaire il ne cessa de redoubler d'éloges à son égard et d'exalter pleinement son génie; pareille équité peut passer pour n'être pas commune.

* * *

Les conquêtes dues à Fermat comptent parmi celles qui, en mathématiques, offrent le caractère le plus fondamental.

Avec Pascal il partage la gloire d'avoir fondé *le calcul des probabilités*. En même temps que Descartes, il a jeté les bases de la *géométrie analytique* "d'une façon tout à fait indépendante, comme Paul Tannery en a fait la remarque, et sous une forme qui se rapproche plus de la classique que celle de Descartes." Avant Newton et Leibniz, il a conçu le principe du *calcul différentiel*, ainsi qu'à juste titre d'Alembert en a, dans l'*Encyclopédie*, revendiqué pour lui l'honneur, ainsi également que l'ont confirmé les deux grands maîtres de l'analyse au déclin du dix-huitième siècle, Lagrange et Laplace. "Fermat, a écrit ce dernier, doit être considéré comme le véritable inventeur du calcul différentiel." Tout aussi légitimement, d'ailleurs, il peut être regardé comme un précurseur en ce qui concerne le *calcul intégral*. Enfin, et surtout, Fermat apparaît sans conteste le père de cette arithmétique transcendante aujourd'hui désignée par le nom de *théorie des nombres*. Tous les spécialistes, en effet, sont d'accord pour reconnaître, avec un de ses commentateurs, qu'à l'aide de "méthodes aussi nouvelles que fécondes il changea complètement la face de cette branche si difficile des mathématiques." On verra même plus loin qu'il semble y avoir pénétré plus avant que nous ne sommes présentement en état de le faire.

* * *

La postérité — il faut bien le dire — a quelque peu tardé à se convaincre de la grandeur exceptionnelle de l'illustre géomètre; c'est qu'aussi bien lui-même n'a rien fait pour l'y aider. Parfaitement modeste, retranché dans un effacement volontaire, Fermat a poussé la négligence de tout ce qui pouvait intéresser le soin de sa renommée au point de se refuser à laisser publier de son vivant aucune de ses magnifiques découvertes, qu'il a seulement fait connaître par lettres à quelques savants, en leur re-

commandant bien, s'ils jugea
muniquer à d'autres personn
nom secret. Ce n'est qu'ap
les soins pieux de son fils
ment, manquait un peu d
que ses œuvres ont pu enfi
pour le plus grand profit d
science.

De la vie même de Fer
peu de chose, se réduisan
août 1601 à Beaumont-d
terres importantes lui v
toute sa vie, avec un z
conseiller au Parlemen
Castres, le 12 janvier
esprit nous touche su
est venu largement e
tuel. Mais notre cu
quelques détails sur l
ainsi qu'elle en a eu
pour Descartes et p
personnel de Ferma
résigner à ne conna
quelle merveilleuse

Cette histoire, e
tuées au moyen
personnelles, que
main de sa mort
ment accrue pa
chercheurs.

Ces œuvres,
d'être mention

applica
directio
Tanner
grands
1891 et
volume
tion fran
de Paul
volumes
jours les
livre ouv

Pour q
de ces vo
plus beau
des nomb
teur, en e
positions
affirme to
nous savon
sujet le pl
pas nous ré
ces intéress
grands ma
premier ran
appliqués à
arithmétique
elles, mais
Fermat décl
parvenu par
que le plus
démontrer da
que l'on a pu

choses que nous ignorons," et que, dans l'ordre de la science, "un seul homme jouit du privilège de s'être avancé plus loin que ses successeurs, et cet homme, c'est Fermat." Circonstance bien extraordinaire, assurément, et dont sans doute on chercherait en vain 5
un autre exemple dans l'histoire des sciences.

Maurice d'Ocagne, *Hommes et choses de science*, Librairie Vuibert, Paris

Jean d'Alembert

1717–1783

Laissé sur les marches de l'église Saint-Jean-le-Rond par sa mère Mme de Tencin, il fut recueilli par une vitrière, Mme Rousseau, chez qui il logea jusqu'à l'âge de cinquante ans. Quoiqu'il fût élu à l'Académie des sciences à l'âge de vingt-trois ans à cause de ses découvertes en mathématiques, il reste célèbre surtout parce qu'il entreprit avec Diderot la publication de la fameuse *Encyclopédie*. Il en composa le *Discours préliminaire* et, entre les années 1751–1759, se chargea de la révision de tous les articles de mathématiques. Grand ami de Voltaire et de Diderot, recherché par tous les salons de l'époque, il se fit une réputation comme causeur très spirituel, et en 1754 fut poussé par Mme du Deffand à l'Académie française dont il devint le secrétaire perpétuel en 1772.

Outre ses articles pour l'*Encyclopédie* et ses *Éloges*, d'Alembert a laissé plusieurs ouvrages importants: *Traité de dynamique* (1743), *Traité de l'équilibre et du mouvement des fluides* (1744), *Mélanges de littérature, de philosophie et d'histoire* (1752–1763).

En sortant du collège, d'Alembert rentra chez sa mère adoptive, et il y continua ses travaux malgré le peu d'encouragements que lui donnait la bonne femme. Chaque fois qu'il lui faisait part de quelque nouveau succès, qu'il lui parlait de ses ouvrages et de ses découvertes: "Vous ne serez jamais qu'un philosophe, lui disait-elle; et qu'est-ce qu'un philosophe? C'est un fou qui se tourmente pendant sa vie pour qu'on parle de lui quand il n'y sera plus." Elle ne se doutait point qu'elle-même philosophait en faisant ainsi la satire des philosophes! . . .

D'Alembert, on le pense bien, ne faisait que sourire de ces boutades, fort communes de la part des gens ignorants, habitués à vivre soit de leur industrie, soit du travail de leurs mains, et pour qui tout travail dont le résultat n'est pas un produit matériel est réputé stérile. Il n'en continuait pas moins [1] de se livrer avec ardeur à ses occupations favorites, ne se souciant ni des places, ni des honneurs. Son modeste revenu de douze cents livres suffisait à ses besoins, et il se fût trouvé avec cela l'homme le plus riche du monde, s'il n'eût été [2] obligé de se restreindre beaucoup dans le seul luxe dont il se souciât, celui d'une bibliothèque bien garnie. Ne pouvant acheter tous les livres qu'il voulait lire, il dut recourir aux bibliothèques publiques, où il n'en pouvait encore consulter que quelques-uns à la fois. Mais cette privation fut pour lui, comme elle avait été pour Pascal, une occasion de déployer la puissance de son génie. Une fois en possession des premiers rudiments, il devina tout ce qui s'ensuivait, et chaque découverte qu'il

faisait lui causait une vive satisfaction, bientôt suivie de désappointement; car à mesure qu'il avançait dans ses lectures, il s'apercevait que ces découvertes n'en étaient réellement que pour lui, ayant été déjà faites
5 par d'autres et n'étant rien moins que nouvelles.[3]

Il marcha ainsi quelque temps de déception en déception, sans toutefois se décourager, et redoublant au contraire d'application, pressé qu'il était d'arriver au dernier terme des connaissances alors acquises et de
10 s'élever à des conceptions dont la priorité ne pût lui être disputée par personne.

Cependant ses amis lui firent entendre que ses douze cents livres de rente n'étaient pas une fortune, ni ses études mathématiques une profession; qu'il devrait,
15 dans l'intérêt même de ses goûts et de ses aspirations, se créer des ressources moins restreintes, et pour cela se choisir un état. En conséquence, il se mit, non sans quelque répugnance, à étudier les lois, et prit le grade d'avocat; mais tout aussitôt il renonça à poursuivre
20 cette carrière et préféra la médecine, comme mieux en rapport avec les tendances naturelles de son esprit.

Ayant pris cette fois une belle résolution de persévérer jusqu'au bout, il déposa tous ses livres de mathématiques chez un de ses amis, qui ne devait les lui
25 rendre que lorsqu'il serait reçu docteur. Vaine précaution. En se défaisant de ses livres, il ne s'était point défait de son génie, qui le ramenait sans cesse invinciblement à ses premières spéculations. Voyant bien qu'il ne pouvait le vaincre tout à fait, même tempo-
30 rairement, il essaya de compter avec ce tyran, de lui faire sa part, en consacrant aux mathématiques quelques heures seulement chaque jour, en manière de

récréation. Pour cela il redemanda à son ami un volume d'abord, puis un autre, et ainsi de suite; si bien qu'en peu de temps, rentré en possession de tous ses livres, il négligea et oublia tout à fait ceux qui traitaient de médecine; c'en était fait: la lutte était impossible contre 5 un penchant aussi décidé. D'Alembert y renonça et, quoi qu'il en dût advenir, s'abandonna tout entier à l'irrésistible entraînement de sa vocation. Il n'eut pas lieu de s'en repentir.

Le premier bénéfice qu'il en éprouva fut le contente- 10 ment qui remplissait sa vie. En s'éveillant le matin, comme il l'a lui-même raconté, il songeait avec bonheur à ses études de la veille, qu'il allait continuer pendant la journée; si ses pensées étaient par moment distraites de cet objet, c'était pour caresser la perspective du 15 plaisir qu'il aurait le soir au spectacle; et là, pendant les entr'actes, il rêvait encore à ses travaux du lendemain.

A. Mangin, *Les Savants illustres de la France*, Paris

Les arts libéraux et les arts mécaniques

d'Alembert

Cependant l'avantage que les arts libéraux [4] ont sur les arts mécaniques, par le travail que les premiers exigent de l'esprit, et par la difficulté d'y exceller, est 20 suffisamment compensé par l'utilité bien supérieure que les derniers nous procurent pour la plupart. C'est cette utilité même qui a forcé de les réduire à des opérations purement machinales, pour en faciliter la pratique à un plus grand nombre d'hommes. Mais la société, en respectant avec justice les grands génies qui l'éclairent, ne doit point avilir les mains qui la servent. La découverte de la boussole n'est pas moins avantageuse au genre humain, que ne le serait à la physique l'explication des propriétés de cette aiguille. Enfin, à considérer en lui-même le principe de la distinction dont nous parlons, combien de savants prétendus y a-t-il dont la science n'est proprement qu'un art mécanique? et quelle différence réelle y a-t-il entre une tête remplie de faits sans ordre, sans usage et sans liaison, et l'instinct d'un artisan réduit à l'exécution machinale?

Le mépris qu'on a pour les arts mécaniques semble avoir influé jusqu'à un certain point sur leurs inventeurs mêmes. Les noms de ces bienfaiteurs du genre humain sont presque tous inconnus, tandis que l'histoire de ses destructeurs, c'est-à-dire, des conquérants, n'est ignorée de personne. Cependant c'est peut-être chez les artisans qu'il faut aller chercher les preuves les plus admirables de la sagacité de l'esprit, de sa patience et de ses ressources. J'avoue que la plupart des arts n'ont été inventés que peu à peu, et qu'il a fallu une assez longue suite de siècles pour porter les montres, par exemple, au point de perfection où nous les voyons. Mais n'en est-il pas de même des sciences? Combien de découvertes qui ont immortalisé leur auteurs, avaient été préparées par les travaux des siècles précédents, souvent même amenées à leur maturité, au point de ne demander plus qu'un pas à faire? Et pour ne point sortir de l'horlogerie, pourquoi ceux à qui nous devons la fusée [5] des montres, l'échappement [6] et la répétition,[7] ne sont-ils pas aussi estimés que ceux qui ont travaillé successivement à perfectionner l'algèbre?

D'ailleurs, si j'en crois quelques philosophes que le mépris de la multitude pour les arts n'a point empêché de les étudier, il est[8] certaines machines si compliquées, et dont toutes les parties dépendent tellement l'une de l'autre, qu'il est difficile que l'invention en soit due à plus d'un seul homme. Ce génie rare dont le nom est enseveli dans l'oubli, n'eût-il pas été bien digne d'être placé à côté du petit nombre d'esprits créateurs, qui nous ont ouvert dans les sciences des routes nouvelles? 5

Jean d'Alembert, *Discours préliminaire des éditeurs de l'Encyclopédie*

Antoine-Laurent Lavoisier

1743–1794

"Le créateur de la chimie moderne" naquit à Paris le 26 août 1743. Son père était assez riche. C'était un homme éclairé pour qui l'éducation de son fils était de la plus haute importance. Il plaça le jeune Lavoisier au collège Mazarin où le futur chimiste fit des études brillantes en botanique, en physique, en géologie, etc. A l'âge de vingt et un ans, il se sentit à même de concourir pour le grand prix offert par l'Académie des sciences pour "la meilleure manière d'éclairer les rues d'une grande ville." Le jeune homme se mit à l'étude de ce problème avec une ardeur sans pareille. Il fit tendre de noir une chambre retirée de son habitation et resta dans l'obscurité pendant six semaines, durant lesquelles ses yeux acquirent la faculté de distinguer les plus petites différences dans l'intensité de la lumière artificielle. Ceci assura le succès de ses expériences et il finit par présenter un mémoire remarquable qui lui valut une médaille d'or.

Ensuite, il s'intéressa à la chimie et ce sont ses recherches originales et pénétrantes dans ce domaine de la science qui lui valurent une gloire éternelle. Pendant quinze ans les mémoires succédèrent aux mémoires et l'infatigable travailleur érigea pierre à pierre l'édifice de la chimie moderne, et prouva, pour la première fois, par des mesures précises, que "rien ne se perd . . . rien ne se crée." *

Malheureusement pour lui, Lavoisier était aussi fermier général et ne fut pas omis de la proscription qui atteignit ce groupe de fonctionnaires sous la Terreur.[1] Après un procès sommaire devant le tribunal révolutionnaire, Lavoisier fut condamné à mort, et la charrette de la guillotine conduisit le grand savant à l'échafaud. Le couperet tomba et le sang de Lavoisier couvrit à jamais de honte les "bourreaux" de cette époque sanglante.

On n'oubliera jamais la remarque de Lagrange qui, révolté par cet acte, s'écria: "Il ne leur a fallu qu'un moment pour faire tomber cette tête, et cent années peut-être ne suffiront pas pour en reproduire une semblable."

L'époque de Lavoisier — Kirrmann

La jeune chimie était à peine éclose à une vie vraiment scientifique, lorsque celui qui avait clairement désigné son chemin d'avenir fut fauché par l'inexorable rancune de la France révolutionnaire contre les anciens privilégiés. Le fermier général Lavoisier avait 50 ans lorsque sa tête tomba sur l'échafaud. A peine trente ans de vie lui ont suffi pour diriger définitivement l'évolution de la chimie, si tant est qu'on puisse attribuer au mérite personnel d'un homme ce qu'il a pu

* "Rien ne se crée, ni dans les opérations de l'art, ni dans celles de la nature et l'on peut poser en principe que, dans toute opération, il y a une égale quantité de matière avant et après l'opération. C'est sur ce principe qu'est fondé l'art de faire des expériences en chimie. On est obligé de supposer dans toutes une véritable égalité ou équation entre les principes des corps qu'on examine et ceux qu'on retire après l'analyse."

accomplir grâce aux travaux qui précèdent et parce que l'époque était prête à être fécondée par son esprit. Il serait évidemment exagéré de lui attribuer d'une façon exclusive et personnelle toutes les idées qui l'ont con-
5 duit au succès, car aucun être humain, fût-il le plus révolutionnaire des génies novateurs, n'est indépendant du passé pour qu'on ne lui trouve aucun précurseur. Black et d'autres, avant Lavoisier, ont fait des pesées en chimie, mais c'est lui qui a fait de la balance un ins-
10 trument de travail absolument courant; d'autres ont remarqué l'intervention de l'air dans les phénomènes de combustion, lui seul a su préciser ces observations et en tirer des conclusions nettes; d'autres ont constaté une augmentation de poids par calcination des métaux,
15 mais c'est lui qui a montré que cette augmentation était précisément égale à la quantité d'oxygène disparue. Cet oxygène avait été trouvé par Priestley et Scheele (1774), mais c'est Lavoisier qui mit à profit leur découverte pour démolir la phlogistique [2] et établir
20 une théorie correcte des phénomènes de la combustion et de l'oxydation.[3] Cavendish a découvert la synthèse de l'eau, en établissant même des relations pondérales avec bien plus de précision que ne le fit Lavoisier en répétant l'expérience; c'est lui pourtant qui sut inter-
25 préter le résultat et s'en servir.

Ayant compris la nature de la combustion, il arrive à une suite rapide de déductions: les "terres," c'est-à-dire les oxydes, sont des combinaisons de métaux avec l'oxygène. Donc, ces métaux sont des corps plus sim-
30 ples que les oxydes, et même ils semblent être des corps réellement simples, indédoublables, autrement dit des éléments. Les acides azotique, sulfurique, carbonique,

phosphorique dérivent par oxydation d'un autre groupe de corps connus: l'azote, le soufre, le phosphore qui, à leur tour, sont probablement des éléments.

Ces résultats suffisent pour créer une classification rationnelle des espèces chimiques, classification dans laquelle les éléments ou corps simples dans le sens actuel jouent un rôle fondamental.

Ce qui nous choque dans le système de Lavoisier, c'est que lui qui pourtant a, le premier, reconnu l'importance capitale de la balance, et par cela même a rendu inséparables les notions de matière et de masse pondérable, rassemble dans le groupe des éléments fluides les gaz oxygène, hydrogène, azote en même temps que la chaleur et la lumière. Même un esprit clair et hardi comme le sien ne peut pas, d'un seul coup, s'affranchir de tout un lourd héritage d'idées anciennes. Ses mérites ne s'arrêtent pas là. On peut le considérer à juste titre comme l'un des fondateurs de la chimie organique. C'est lui qui, en effet, a montré systématiquement que tous les corps organiques donnaient du gaz carbonique et de l'eau à la combustion, et se basant sur la généralité de ces observations, il abandonne la vieille définition de la chimie organique: étude des corps d'origine animale ou végétale, pour la remplacer par celle qui n'a pas cessé de nous servir: la chimie des combinaisons du carbone.

A. Kirrmann, *La Chimie d'hier et d'aujourd'hui*, Librairie-Imprimerie Gauthier-Villars, Paris

La respiration animale[4] Lavoisier

La respiration n'est qu'une combustion lente de carbone et d'hydrogène, qui est semblable en tout à celle qui s'opère dans une lampe ou dans une bougie allumée, donc, sous ce point de vue, les animaux qui respirent sont de véritables combustibles qui brûlent et se consument.

Dans la respiration comme dans la combustion, c'est l'air de l'atmosphère qui fournit l'oxygène et le calorique; mais comme dans la respiration c'est la substance même de l'animal, c'est le sang qui fournit le combustible, si les animaux ne réparaient pas habituellement par les aliments ce qu'ils perdent par la respiration, l'huile manquerait bientôt à la lampe, et l'animal périrait, comme une lampe s'éteint lorsqu'elle manque de nourriture.

Les preuves de cette identité d'effets entre la respiration et la combustion se déduisent immédiatement de l'expérience. En effet, l'air qui a servi à la respiration ne contient plus, à la sortie du poumon, la même quantité d'oxygène; il renferme non seulement du gaz acide carbonique, mais encore beaucoup plus d'eau qu'il n'en contenait avant l'inspiration. Or, comme *l'air vital* ne peut se convertir en acide carbonique que par une addition de carbone; qu'il ne peut se convertir en eau que par une addition d'hydrogène; que cette double combinaison ne peut s'opérer sans que l'air vital perde une partie de son calorique spécifique, il en résulte que l'effet de la respiration est d'extraire du sang une portion de carbone et d'hydrogène, et d'y déposer à la place une portion de son calorique spécifique qui, pendant la

l'Académie des Sciences, le 11 septembre 1820, l'expérience d'Œrsted, il avait déjà trouvé les lois des actions qui s'exercent entre courants et aimants, les avait soumises au contrôle de l'expérience et en avait déduit sa théorie du magnétisme. Rien n'est plus saisissant que le récit qu'il en a fait lui-même à son fils Jean-Jacques, par une lettre datée du 25 septembre:

"... Depuis que j'ai entendu parler pour la première fois de la belle découverte de M. Œrsted,[5] professeur à Copenhague, sur l'action des courants galvaniques[6] sur l'aiguille aimantée, j'y ai pensé continuellement. Je n'ai fait qu'écrire une grande théorie sur ces phénomènes et ceux déjà connus de l'aimant, et tenté des expériences indiquées par cette théorie, qui, toutes, ont réussi et m'ont fait connaître autant de faits nouveaux. Je lus le commencement d'un mémoire à la séance de lundi, il y a aujourd'hui huit jours. Je fis, les jours suivants, tantôt avec Fresnel, tantôt avec Despretz, les expériences confirmatives. Je les répétai toutes vendredi chez Poisson ... Tout réussit à merveille, mais l'expérience décisive que j'avais conçue comme preuve définitive exigeait deux piles galvaniques; tentée avec des piles trop faibles chez moi avec Fresnel, elle n'avait point réussi; enfin, hier, j'obtins de Dulong qu'il permît à Dumotier de me vendre la grande pile qu'il faisait construire pour le cours de physique de la Faculté, et l'expérience a été faite chez Dumotier avec un plein succès et répétée aujourd'hui à 4 heures à la séance de l'Institut; on ne m'a plus fait d'objection, et voilà une nouvelle théorie de l'aimant qui en ramène, par le fait, tous les phénomènes à ceux du galvanique.

"Cela ne ressemble en rien à ce qu'on disait jusqu'à

présent. Je la réexpliquerai demain à M. de Humboldt, après-demain à M. de Laplace au Bureau des Longitudes . . ."

Tout le monde a vu, en fonctionnement au laboratoire, les "équipages d'Ampère," c'est-à-dire les courants mobiles grâce auxquels le grand mathématicien, promu physicien par son génie, a établi les lois de l'électrodynamique, ainsi que les solénoïdes qui, parcourus par le courant, reproduisent toutes les propriétés de l'aiguille aimantée; le Collège de France, où Ampère fut professeur, conserve pieusement ces appareils, établis de ses seules mains et avec ses propres ressources, dans le laboratoire qu'il avait établi à son domicile, rue des Fossés-Saint-Victor (actuellement du Cardinal-Lemoine) et on ne manquera pas d'admirer, à cette occasion, comment cet homme, qui n'avait manié jusque là que des idées et des chiffres, avait pu devenir, en un tournemain, constructeur habile et observateur avisé.

AMPÈRE TRIOMPHE DES OBJECTIONS OPPOSÉES À SA THÉORIE

C'est là le point culminant de sa gloire. Mais n'allons pas croire que le monde se soit incliné sans débat devant elle. Comme tous les novateurs, Ampère se heurta à l'obstruction, et peut-être aux jalousies de tous ceux dont les idées neuves dérangent la paresse d'esprit ou les systèmes préconçus; à l'Institut même, soutenu vigoureusement par Arago, Fourier et Fresnel, il eut plus de peine à désarmer l'hostilité de Laplace, alors tout-puissant.

Sans doute, ces objecteurs avaient des raisons pertinentes à faire valoir; en particulier, l'idée que des courants électriques pouvaient circuler dans chaque particule d'un corps magnétique, sans usure et sans qu'aucune pile les entretînt, allait à l'opposé de tout ce qu'on savait alors; si elle nous est devenue familière, c'est parce qu'avec les progrès de l'atomisme, nous admettons l'existence d'électrons planétaires,[7] porteurs d'électricité négative, dont la circulation équivaut à un courant électrique; c'est aussi parce que Kamerlingh Onnes, en découvrant l'état supraconducteur[8] de la matière, a montré que des courants électriques pouvaient circuler indéfiniment à l'intérieur des métaux dont la résistance est abolie.

D'autre part, les savants de cette époque, formés à l'école de Newton, étaient habitués à considérer uniquement des *forces centrales*, dirigées suivant la direction qui joint les centres d'action; ces forces semblaient suffisantes pour expliquer toutes les actions à distance; Laplace venait d'étendre la loi de Newton aux actions capillaires, tandis que Coulomb[9] l'appliquait aux attractions et aux répulsions électriques ou magnétiques. Dans cet état d'esprit, on n'acceptait pas sans réserves l'existence d'actions, s'exerçant entre un élément de courant et un pôle d'aimant, qui ne fussent pas centrales ni directement opposées l'une à l'autre, comme l'exige, d'ailleurs, le principe d'égalité de l'action et de la réaction; il y a là une difficulté de principe qui pouvait faire hésiter des hommes de bonne foi; heureusement, elle n'avait pas arrêté l'audace d'Ampère, mais elle explique les longues controverses dont l'écho se prolongea jusqu'en 1881: le Congrès international des Électriciens, réuni pour définir et dénommer les unités électriques, hésita longtemps, pour l'intensité, entre les noms d'Ampère et de Weber; il fallut toute la ténacité de Mascart pour que le choix fût donné à notre compatriote, dont le nom, grâce à cette désignation, est prononcé, chaque jour, par des milliers de bouches.

LES APPLICATIONS DE LA DÉCOUVERTE D'AMPÈRE: ÉLECTROAIMANT, TÉLÉGRAPHE ÉLECTRIQUE

Les relations établies par Ampère entre l'électricité et le magnétisme devaient entraîner, en peu de temps, des applications importantes, dont les plus immédiates, dans l'ordre chronologique, furent celles de l'électroaimant et du télégraphe électrique. On a voulu parfois les attribuer au grand savant lyonnais; il est certain que, dès octobre 1820, il soumettait à l'Académie un projet de télégraphe, mais le dispositif qu'il imaginait, simple développement de l'expérience d'Œrsted, comportait un certain nombre de courants séparés, agissant à distance sur autant d'aiguilles aimantées; sous cette forme, l'idée était chimérique; et, d'autre part, si Ampère a connu l'aimantation permanente d'une aiguille d'acier par un solénoïde, il ne paraît pas avoir soupçonné l'aimantation temporaire du fer doux, principe de l'électroaimant et de ses multiples applications.

L'INVENTION DU GALVANOMÈTRE

Mais, si sa gloire peut se passer de ces inventions, il serait injuste de n'y pas ajouter l'invention du galvanomètre; Ampère fut le premier à distinguer nettement les effets de tension électrique, mesurés par l'électromètre, des effets d'intensité, et pour apprécier ceux-ci en faisant agir le courant sur l'aimant; il inventa même, pour accroître la sensibilité, le système d'aiguilles astatiques,[10] formé de deux aimants aux polarités inversées; quelques mois plus tard, Schweigger augmentait encore cette sensibilité en enroulant plusieurs fois le fil autour de l'aimant mobile; mais, à partir de 1821, les progrès s'accélèrent à une allure qui rend malaisées les attributions de priorité, et qui prouve aussi quel vigoureux essor Ampère avait donné à la science.

AMPÈRE, PRÉCURSEUR DE LA THÉORIE ATOMIQUE

En chimie aussi, le savant lyonnais fut un grand remueur d'idées, et il s'en est fallu de peu que la fameuse hypothèse d'Avogadro s'appelât l'hypothèse d'Ampère. J'ai déjà dit que ses études mathématiques avaient fait de lui un adepte de la théorie cinétique, qui fait voir, dans les gaz et même dans toute espèce de matière, des atomes mouvants. C'était l'époque où Gay-Lussac venait d'établir que tous les gaz possèdent le même coefficient de dilatation, 1/273, et que toutes les combinaisons gazeuses s'effectuent suivant des rapports en volume simples. Réfléchissant sur ces résultats, qui manifestent l'unité fondamentale de l'état gazeux, Ampère était arrivé à cette conclusion qu'un litre d'un gaz quelconque, pris toujours sous la même pression et à la même température, contient le même nombre de molécules. Par malheur pour sa gloire, il avait gardé pour lui le résultat de ses méditations, et ce n'est qu'en 1814 que, cédant à l'insistance de Berthollet, il consentit à publier son mémoire; il ignorait alors que le chimiste italien Avogadro était parvenu, de son côté, aux mêmes conclusions, et les avait rendues publiques en 1811; si donc la gloire de les avoir énoncées le premier appartient, très légitimement, au savant italien Avogadro, on ne saurait refuser à Ampère le mérite d'être parvenu, indépendamment, aux mêmes conclusions, sans pouvoir affirmer lequel des deux en eut le premier la conception.

Mais il avait poussé plus loin en établissant une distinction entre la molécule et l'atome; par là, il peut être considéré comme un des fondateurs de la théorie atomique. Dans la combinaison de l'hydrogène et de l'oxygène, deux volumes du premier gaz, représentant une molécule, s'unissent à un volume d'oxygène, qui, d'après l'hypothèse d'Avogadro,[11] n'en doit contenir que la moitié d'une; il faut donc que cette demi-molécule ait une existence réelle, et, par suite, la molécule de ce gaz doit être formée par l'association de deux atomes. Généralisant ce cas particulier, Ampère avait tenté de représenter les combinaisons chimiques par des associations d'atomes; mais la chimie était alors trop peu avancée pour que ces essais puissent donner des résultats précis; ils ne font pas moins grand honneur à celui qui en a eu la première idée et dont l'application devait se montrer, par la suite, si féconde.

LA SCIENCE ENCYCLOPÉDIQUE D'AMPÈRE

Nous avons vu Ampère mathématicien, physicien et chimiste; ce ne furent pas les seules formes de sa trépidante activité, car on peut dire que rien de ce qui peut occuper l'esprit humain ne lui fut étranger.

S'agit-il de sciences naturelles? Le voilà qui prend part à la discussion ouverte entre Cuvier et Geoffroy Saint-Hilaire [12] à propos du développement des êtres vivants; il défendait, contre le premier, des idées voisines du transformisme et ceux qui ont assisté au débat entre ces deux grands esprits furent obligés d'avouer qu'aucun ne le cédait à l'autre pour la richesse des vues et la valeur des arguments.

Entre temps Chevreul s'occupe-t-il, sur mandat de l'Académie, des propriétés de la baguette divinatoire [13] et du pendule explorateur, qui se parent aujourd'hui du nom de "radiesthésie"? [14] Aussitôt, Ampère s'intéresse à ces recherches; il assiste à des expériences sur le pendule, et c'est à lui que Chevreul communique, en 1812, le résultat de ses propres essais.

Mais ce qui paraît avoir tenu le plus de place, après les mathématiques, dans l'esprit d'Ampère, c'est la philosophie, avec son annexe, la sociologie. A tout instant, il revenait sur ces grands problèmes qui l'attiraient. Son œuvre capitale, dans cet ordre de la pensée, fut une classification méthodique des connaissances humaines, à laquelle il travailla jusqu'à sa mort. Sainte-Beuve raconte qu'étant un soir avec ses amis Camille Jordan et Degerando, il se mit à leur exposer le système du monde, et soutint la conversation, durant treize heures d'horloge, avec une lucidité continue. Cet exemple, pris entre mille, donne une idée du bouillonnement continu qui agitait ce cerveau génial. "Son esprit immense, écrit encore Sainte-Beuve, était, le plus souvent, comme une mer agitée; la première vague soudaine y faisait montagne, le liège flottant ou le grain de sable y étaient aisément lancés jusqu'aux cieux."

Heureusement, cette imagination débordante était freinée par la science et la raison; mais elle explique un autre trait de son caractère, dont ses contemporains ont conservé le souvenir, et que la légende a sûrement amplifié: c'était son extraordinaire distraction; on en cite partout des traits amusants, dont plusieurs furent inventés après coup. Mais cette distraction n'était que la conséquence, et l'aspect extérieur, de la concentration d'esprit exclusive qu'il apportait à tous les problèmes; alors, rien d'autre n'existait plus pour lui, et il oubliait complètement le monde extérieur. Aussi cet homme de génie était-il un déplorable professeur, parce qu'en suivant sa propre pensée, il ne s'occupait jamais de savoir s'il était lui-même suivi par ses auditeurs. Arago, qui l'aimait et l'admirait, en a fait l'aveu: "... Nous pourrions affirmer, à l'égard d'Ampère, que sa vocation était de ne pas être professeur. Cependant, c'est au professorat qu'on l'a forcé de consacrer la plus belle partie de sa vie; c'est par des leçons rétribuées qu'il a toujours dû suppléer à l'insuffisance de sa fortune patrimoniale... Mais le savoir, mais le génie ne suffisent pas à celui qui se voue à l'enseignement d'une jeunesse vive, pétulante, moqueuse, habile à saisir les moindres ridicules et à les faire servir à son amusement..."

Tel fut, dans sa vie ardente et souvent douloureuse, celui qu'on a commémoré en cette année 1936; il mérite de rester dans la mémoire des hommes par la foi avec laquelle, dans tous les domaines de la pensée, il a cherché la vérité, et par le génie qui la lui a fait découvrir.

L. Houllevigue, "Le Centenaire d'Ampère, l'un des créateurs de l'électrotechnique moderne," La Science et la vie, March, 1936, Paris

Mais Ampère n'eût pas été un savant complet s'il n'avait été prodigieusement distrait et indifférent aux grandeurs humaines. Le geste le plus éloquent de cette distraction et de ce détachement se trouve résumé par l'anecdote que voici: [15]

Au cours d'une séance de l'Académie des sciences que présidait Geoffroy Saint-Hilaire, Ampère lisait un mémoire à la tribune. L'Académie était toute déférence pour le lecteur quand, soudain, un bruyant remue-ménage éclata. Ampère n'y prit point garde et poursuivit sa lecture, cependant qu'un étranger tout vêtu de bleu et portant les insignes de la Légion d'honneur, calmait d'un geste l'assistance et s'emparait d'autorité d'un siège.

Quand Ampère eut terminé, il remit son mémoire sur le bureau de l'Académie, quitta la tribune et se mit en devoir de regagner sa place. Mais, à sa grande stupeur, celle-ci était occupée par un inconnu. Interloqué, Ampère s'arrêta, regarda l'intrus, ne lui dit rien, car il était fort timide, mais par quelques petits coups de toux, s'efforça d'attirer l'attention de ses collègues. Ceux-ci affectèrent de ne pas comprendre.

Alors, n'y tenant plus, Ampère s'adressa à Geoffroy Saint-Hilaire:

— Monsieur le président, je dois vous faire remarquer qu'une personne étrangère à l'Académie s'est emparée de ma place et siège parmi nous.

— Vous êtes dans l'erreur, mon cher confrère, cette personne à laquelle vous faites allusion est membre de l'Académie des sciences, lui répondit Geoffroy Saint-Hilaire.

— Et depuis quand?

— Depuis le 5 nivôse [16] an VI, dit alors l'étranger.

— Et dans quelle section, s'il vous plaît, monsieur? demanda ironiquement Ampère.

— Dans la section de mécanique.

— C'est un peu fort! s'exclama le savant.

Et, prenant un annuaire de l'Académie, il lut à cette date: "Napoléon Bonaparte, membre de l'Académie des sciences, nommé dans la section de mécanique le 5 nivôse an VI."

Plein de confusion, Ampère s'excusa. Alors Napoléon lui dit:

— Voilà, monsieur, l'inconvénient qu'il y a de ne pas fréquenter ses collègues. Je ne vous vois jamais aux Tuileries,[17] mais je saurai bien vous forcer à venir au moins m'y souhaiter le bonjour.

Ampère était de plus en plus alarmé. A la fin de la séance, Napoléon, qui jouissait de son trouble, s'approcha de lui et lui tendant la main, dit:

— Mon cher collègue, je vous attends demain à dîner; ce sera pour sept heures. Je vous placerai à côté de l'impératrice afin que vous ne la preniez pas pour une autre.

Le lendemain, c'est en vain que l'empereur attendit Ampère. Il avait oublié l'invitation.

Robert Chenevier, in L'ILLUSTRATION, March 7, 1936

LE TABLEAU NOIR

Un autre jour, rêvant dans la rue à la solution difficile d'un problème, il voit devant lui, ô miracle, un tableau noir et s'empresse, tirant un morceau de craie de sa poche, de le couvrir d'*x* et d'*y*. La solution allait se dégager, quand le tableau noir se mit à fuir éperdument; 5
le savant, qui ne comprend rien à cette aventure, court après ses calculs, mais s'arrête bientôt haletant: c'était l'arrière d'une voiture de livraison qu'il avait pris pour un tableau noir.

LE CAILLOU

Se rendant un jour à une séance de l'Académie, il 10
remarque à terre un joli caillou rubané et s'attarde à l'étudier; puis, songeant qu'il va être en retard, il tire sa montre, s'aperçoit que le caillou est sans valeur et le jette à la Seine; mais, à la séance, un collègue lui demandant l'heure, il tire de sa poche l'affreux caillou que 15
dans sa hâte il avait confondu avec sa montre.

Mme Bonfante, *Savants et artisans de la révolution industrielle*, Librairie Valois, Paris

Jean-Baptiste de Lamarck

1744–1829

Lamarck — Caullery

La carrière de Lamarck (1744–1829) est double. Jusqu'en 1794, c'est-à-dire jusqu'à l'âge de cinquante ans, il a été botaniste et botaniste éminent, auteur notamment d'une *Flore française* qui eut un grand succès. A cette époque, il avait été parmi les familiers de Buffon, dont l'influence sur ses idées est indéniable. Dans la réorganisation du Jardin du Roi, en 1793, il est chargé de la chaire des Animaux sans Vertèbres et c'est ainsi qu'il devient zoologiste, pour les trente-cinq dernières années de sa vie. Il est remarquable qu'il ait eu la plasticité d'esprit nécessaire pour changer aussi radicalement l'orientation de ses recherches et, dans cette science nouvelle, réaliser une œuvre considérable et importante. Les animaux sans vertèbres, nos Invertébrés actuels, constituaient la partie la plus confuse du règne animal. Il a fait faire à leur classification des progrès remarquables, dans le détail desquels je ne peux naturellement pas entrer ici. Mais le nom de Lamarck survit aujourd'hui avant tout comme celui du fondateur des doctrines évolutionnistes, qu'il a élaborées dans les dernières années du XVIIIe siècle et formulées en des lois célèbres, dans sa *Philosophie zoologique*, en 1809.

Les conceptions générales de Lamarck, qui ont eu peu d'influence de son vivant, mais en ont pris une considérable après Darwin, représentent aujourd'hui comme un des pôles de la pensée biologique. Formulées à une époque où les connaissances précises manquaient sur la plupart des points, elles représentent une solution beaucoup trop simple d'un problème dont la complexité est immense. Elles nous font concevoir les organismes comme se modifiant et s'adaptant sans cesse, sous l'action directe du milieu extérieur, par des variations individuelles qui se transmettent ensuite par hérédité aux générations ultérieures. L'expérimentation précise a montré, dans la période récente, que cela ne se vérifie pas dans la Nature actuelle, au moins à l'échelle où nous pouvons expérimenter dans le temps. L'adaptation ne saurait être admise, au moins avec la généralité que lui accorde Lamarck, et les propriétés intrinsèques des organismes ont, sur l'Évolution, une action certainement plus considérable. Mais, bien que le courant d'idées actuel soit défavorable au lamarckisme, il me paraît difficile de l'écarter radicalement et, en tout cas, quel que soit le sort définitif de la doctrine, son rôle dans le développement de la pensée biologique et évolutionniste aura été considérable. Soit dit en passant, Lamarck a, en même temps que le naturaliste allemand Treviranus, créé le mot *Biologie*, en 1802. Esprit encyclopédique, formé dans l'ambiance philosophique du XVIIIe siècle, Lamarck a eu, sur les diverses sciences, des vues très amples, les unes aventureuses et caduques, les autres devançant leur temps, comme celles qu'il a formulées en géologie, sur les phénomènes actuels et leur valeur pour expliquer le passé.

Maurice Caullery, *La Science française depuis le XVIIe siècle*, Librairie Armand Colin, Paris

La variabilité des espèces — Lamarck

Quantité de faits nous apprennent qu'à mesure que les individus d'une de nos espèces changent de situation, de climat, de manière d'être ou d'habitude, ils en reçoivent des influences qui changent peu à peu la consistance et les proportions de leurs parties, leur forme, leurs facultés, leur organisation même, en sorte que tout en eux participe avec le temps aux mutations qu'ils ont éprouvées.

Dans le même climat, des situations et des expositions très différentes font d'abord simplement varier les individus qui s'y trouvent exposés; mais, par la suite des temps, la continuelle différence des situations des individus dont je parle, qui vivent et se reproduisent successivement dans les anciennes circonstances, amène en eux des différences qui deviennent, en quelque sorte, essentielles à leur être: de manière qu'à la suite de beaucoup de générations qui se sont succédé les unes aux autres, ces individus qui appartenaient originairement à une autre *espèce*, se trouvent à la fin transformés en une *espèce* nouvelle,[1] distincte de l'autre.

Par exemple, que les graines d'une graminée, ou de toute autre plante naturelle à une prairie humide, soient transportées, par une circonstance quelconque, d'abord sur le penchant d'une colline voisine, où le sol, quoique plus élevé, sera encore assez frais pour permettre à la plante d'y conserver son existence, et qu'ensuite après y avoir vécu et s'y être bien des fois régénérée, elle atteigne, de proche en proche, le sol sec et presque aride d'une côte montagneuse, si la plante réussit à y subsister et à s'y perpétuer pendant une suite de générations, elle sera alors tellement changée que les botanistes qui l'y rencontreront en constitueront une espèce particulière.

La même chose arrive aux animaux que des circonstances ont forcé de changer de climat, de manière de vivre et d'habitudes; mais, pour ceux-ci, les influences des causes que je viens de citer exigent plus de temps encore qu'à l'égard des plantes, pour opérer des changements notables sur les individus. * * *

Ainsi, parmi les corps vivants, la nature, comme je l'ai déjà dit, ne nous offre d'une manière absolue que des individus qui se succèdent les uns aux autres par la génération [2] et qui proviennent les uns des autres; mais les *espèces* parmi eux n'ont qu'une existence relative et ne sont invariables que temporairement.

Néanmoins, pour faciliter l'étude et la connaissance de tant de corps différents, il est utile de donner le nom d'*espèce* à toute collection d'individus semblables, que la génération perpétue dans le même état, tant que les circonstances de leur situation ne changent pas assez pour faire varier leurs habitudes, leur caractère et leur forme. * * *

De grands changements dans les circonstances amènent pour les animaux de grands changements dans leurs besoins, et de pareils changements dans les besoins en amènent nécessairement dans les actions. Or, si les nouveaux besoins deviennent constants ou très durables, les animaux prennent alors de nouvelles *habitudes* qui sont aussi durables que les besoins qui les ont fait naître. Voici ce qu'il est facile de démontrer, et même ce qui n'exige aucune explication pour être senti . . .

Or, si de nouvelles circonstances devenues permanentes pour une race d'animaux, ont donné à ces animaux de nouvelles *habitudes*, c'est-à-dire les ont portés à de nouvelles actions qui sont devenues habituelles, il en sera résulté [3] l'emploi de telle partie par préférence à celui de telle autre, et dans certains cas, le défaut d'emploi de telle partie qui est devenue inutile.

Rien de tout cela ne saurait être considéré comme hypothèse ou comme opinion particulière; ce sont au contraire des vérités qui n'exigent, pour être rendues évidentes, que de l'attention et l'observation des faits.

Nous verrons tout à l'heure, par la citation de faits connus qui l'attestent, d'une part, que de nouveaux besoins ayant rendu telle partie nécessaire, ont réellement, par une suite d'efforts, fait naître cette partie, et qu'ensuite son emploi soutenu l'a peu à peu fortifiée, développée, et a fini par l'agrandir considérablement; d'une autre part, nous verrons que, dans certains cas, les nouvelles circonstances et les nouveaux besoins ayant rendu telle partie tout à fait inutile, le défaut total d'emploi de cette partie a été cause qu'elle a cessé graduellement de recevoir les développements que les autres parties de l'animal obtiennent; qu'elle s'est amaigrie et atténuée peu à peu, et qu'enfin lorsque ce défaut d'emploi a été total pendant beaucoup de temps, la partie dont il est question a fini par disparaître. * * *

Entre des individus de même espèce, dont les uns sont continuellement bien nourris, et dans des circonstances favorables à tous leurs développements, tandis que les autres se trouvent dans des circonstances 5 opposées, il se produit une différence dans l'état de ces individus, qui peu à peu devient très remarquable. Que d'exemples ne pourrais-je pas citer à l'égard des animaux et des végétaux, qui confirmeraient le fondement de cette considération! Or, si les circonstances restant 10 les mêmes, rendent habituel et constant l'état des individus mal nourris, souffrants ou languissants, leur organisation intérieure en est à la fin modifiée, et la génération entre les individus dont il est question conserve les modifications acquises, et finit par donner 15 lieu à une race très distincte de celle dont les individus se rencontrent sans cesse dans des circonstances favorables à leurs développements.

A. Rebière, Pages choisies des savants modernes, Librairie Vuibert, Paris: *Philosophie zoologique*, Chapters III and VII

Lazare et Sadi Carnot

1753–1823 1796–1832

Les deux grands Carnot — d'Ocagne

Pour la généralité du public, "le grand Carnot," c'est Lazare Carnot, "l'organisateur de la victoire," [1] le héros de Wattignies,[2] Carnot ministre de la guerre, d'abord au temps de la Convention,[3] puis au lendemain
5 du 18 brumaire, ministre de l'intérieur pendant les Cent-Jours.[4] Mais ce n'est pas seulement pour l'importance de son rôle politique et militaire qu'il a mérité de passer à la postérité, c'est encore — peut-être même, aux yeux de quelques-uns, est-ce surtout — pour son
10 œuvre scientifique. Celle-ci, qui s'étend à la fois sur la mécanique et la géométrie, est de haute importance. Son *Essai sur les machines en général* a constitué un progrès marquant dans la voie de l'analyse rationnelle du jeu des machines, en y introduisant des notions qui
15 sont restées classiques. Ses *Réflexions sur la métaphysique du calcul infinitésimal* ont exercé une sensible influence sur l'enseignement ultérieur des méthodes de cette partie fondamentale des mathématiques. Pardessus tout, sa *Géométrie de position* [5] et son *Essai sur la*

théorie des transversales, ont puissamment contribué à remettre en honneur, dans le domaine de la géométrie, les méthodes, dites synthétiques, sorte de prolongement de celles des anciens auxquelles il avait pu sembler que la merveilleuse création, par Descartes, de la géométrie analytique devait porter un coup fatal, mais qui, après les travaux de Carnot, et surtout après ceux de Poncelet et de Chasles, ont connu un si magnifique renouveau.

La haute qualité de l'œuvre scientifique de Carnot lui ouvrit les portes de l'Institut peu après la fondation de ce grand corps, le 1er août 1796; englobé, d'ailleurs fort injustement, dans la fameuse proscription de fructidor an V, il fut rayé, le 17 octobre 1797, de la liste de l'Institut, pour y être remplacé, le 25 décembre — piquant rapprochement! — par le général Bonaparte. Une fois apaisées les passions politiques [6] qui avaient entraîné son exclusion, il fut réélu à l'Institut, le 26 mars 1800, pour continuer à en faire partie jusqu'au 21 mars 1816; à cette date, une ordonnance [7] royale — qu'on ne peut s'empêcher de profondément déplorer, bien qu'elle lui donnât comme remplaçant cet incomparable génie qu'était Cauchy — le déclara définitivement déchu de sa qualité d'académicien.

Ces variations d'étiquette officielle ne portent assurément aucune atteinte à la haute figure que fait Lazare Carnot dans l'histoire de la science, et l'épithète de "grand" n'a pas cessé de rester accolée à son nom. Mais il n'est pas le seul de sa race à qui, pour les gens de science tout au moins, il ait paru légitime de l'appliquer. A un non moindre degré — et même tant s'en faut — elle a été encore méritée par son fils aîné, Sadi, qui, bien qu'enlevé par la mort dans la fleur de l'âge, a su réaliser, dans le domaine de la science, une des plus brillantes conquêtes dont se puisse glorifier l'esprit humain.

5 Fils de celui qui, avec Monge, eut la plus grande part à la fondation de l'École polytechnique, Sadi Carnot, qui manifesta de très bonne heure d'exceptionnelles dispositions pour les sciences exactes, fut admis à cette école en 1812, à l'âge de seize ans. En 1814 il prenait
10 part, avec ses camarades de promotion — parmi lesquels le futur illustre géomètre Chasles — à la défense de Paris contre les alliés, à la barrière de Vincennes, puis devenait, ainsi que l'avait été son père, officier du génie.

Privé de bonne heure de sa mère, séparé de son père
15 par la funeste proscription dont celui-ci avait été frappé et qui lui avait fait fixer sa résidence à Magdebourg, le jeune officier, portant un nom glorieux que la politique, hélas! avait rendu compromettant, en fut réduit à mener une existence isolée et sans joie où il n'eût connu
20 qu'un amer désenchantement si elle ne se fût intérieurement illuminée des magiques clartés de l'art, des lettres et, par-dessus tout, de la science. Sadi Carnot avait un goût vif pour la musique et pour les œuvres de nos grands écrivains du dix-septième siècle. Son frère
25 cadet, Hippolyte (père du second Sadi, le Président de la République, et d'Adolphe, le distingué chimiste, membre de l'Institut), nous l'a dit: "On ne voyait sur son pupitre de musique que des compositions de Lully, qu'il étudiait, et des *concerti* de Viotti, qu'il exécutait.
30 On ne voyait sur sa table que Pascal, Molière ou La Fontaine, et il savait presque par cœur ses livres favoris." Mais ses plus hautes pensées allaient à la

science, où son étonnant génie devait pénétrer des régions jusqu'à lui inexplorées, celles où la production de la puissance mécanique se lie aux phénomènes calorifiques; et il n'avait pas encore atteint sa trentième année lorsqu'il consignait le résultat de ses profondes méditations dans ce chef-d'œuvre que sont ses *Réflexions sur la puissance motrice du feu.*[8] "Il avait vu, nous dit encore son frère, combien peu avancée était la théorie des machines qui mettent en jeu cette puissance. Il avait constaté que les perfectionnements introduits dans leurs dispositions s'accomplissaient par tâtonnements et presque au hasard. Il avait compris que, pour faire sortir cet art si important de la voie expérimentale et pour l'élever au rang d'une science, il fallait étudier le phénomène de la production du mouvement par la chaleur au point de vue le plus général, indépendamment d'aucun mécanisme, d'aucun agent particulier; et telle avait été la pensée de son livre." De cette mince brochure ce fut, en réalité, toute une science nouvelle qui sortit: la *thermodynamique*, qui devait se montrer d'une prodigieuse fécondité et donner naissance, par la suite, à une science plus générale encore, l'*énergétique*,[9] dont le regretté Pierre Duhem fut un des principaux instaurateurs.

Emporté, à trente-six ans, par l'épidémie de choléra de 1832, Sadi Carnot, de qui l'on pouvait attendre d'autres magnifiques progrès de la science, dut laisser à ses continuateurs le soin de tirer les innombrables conséquences des principes initiaux qu'une vue de génie lui avait révélés. Comme M. Émile Picard l'a rappelé en une circonstance récente, le plus haut représentant de la physique mathématique de l'Angleterre dans la période contemporaine, "lord Kelvin a pu dire très justement qu'il n'est rien de plus grand dans la science que l'œuvre de Sadi Carnot."

N'est-on pas fondé, après cela, à saluer Sadi Carnot, comme son père, du titre de "grand Carnot"?

Maurice d'Ocagne, *Hommes et choses de science*, Librairie Vuibert, Paris

François Arago

1786–1853

Arago et son . . . thermomètre — Bonfante

Il n’est peut-être pas, dans l’histoire des sciences, de carrière plus brillante que celle de ce savant qui illumina le début du XIXe siècle de toute la flamme de son génie créateur, servi par une exposition claire, lucide, entraînante, qui en ont fait le modèle accompli des vulgarisateurs et rendu son nom populaire dans toute l’Europe.

Il était né à Estagel, dans les Pyrénées-Orientales, le 26 février 1786, d’un père avocat. Enfant à l’esprit toujours en éveil, il s’étonne de tout, cherche le pourquoi des choses, interroge et sent un jour sa vocation se dessiner, en voyant des ingénieurs militaires procéder à l’établissement d’un pont. L’un d’eux lui dit qu’il faut pour cette carrière préparer des examens difficiles dont le programme est vite demandé au chef-lieu, et le futur savant, loin des facilités de la capitale, se lance sans hésiter dans l’étude des mathématiques où il fut guidé par un vieil abbé qui confessa bientôt son impuissance à le tirer d’embarras devant les embûches du logarithme

et du cosinus. Alors commencèrent des recherches solitaires qui eussent rebuté bien des intelligences d'élite et qui faillirent abattre son courage; mais, un jour, sous la couverture d'un vieux bouquin, un éclair
5 jaillit qui vint ranimer le courage du jeune homme: c'était un conseil donné par d'Alembert à un jeune homme qui se plaignait des difficultés rencontrées dans ses études: "Allez, Monsieur, allez toujours, et la foi vous viendra." Ce précepte, suivi à la lettre, conduisit
10 Arago à l'École polytechnique, où il fut reçu brillamment à dix-sept ans, après deux examens sensationnels, passés l'un avec Monge, l'autre avec Legendre, deux hérissons mathématiques qui ne lui ménagèrent pas les difficultés. Entré premier à l'École, il en sortait égale-
15 ment premier. Il avait failli s'attirer les foudres de Napoléon Ier en refusant de signer la liste d'adhésion pour l'Empire; mais sur l'intervention de Monge, il ne lui en fut pas tenu compte.

Aussitôt sorti [1] de l'École, il entra à l'Observatoire et
20 fut choisi pour aller, avec Biot, en Espagne, achever la mesure de l'arc du méridien [2] que la mort de Méchain avait interrompue. Il avait alors vingt ans et c'était en 1806. La guerre avec l'Espagne vint faire courir au jeune savant, resté presque seul à Majorque, les plus
25 cruels dangers; prisonnier, esclave, mourant de faim, il ne fut sauvé que grâce à l'énergique intervention du consul de Suède qui le fit rapatrier le 1er juillet 1809, avec ses infortunés compagnons. La robuste constitution d'Arago lui avait permis de résister à ces terribles
30 aventures et le succès de sa mission le fit recevoir avec enthousiasme à vingt-trois ans à l'Institut de France.

Ses premières recherches se rapportent à l'optique où il établit la théorie de la "polarisation colorée" [3] au moyen de son ingénieux "polariscope." En travaillant avec le grand Ampère, il découvrit, en 1820, "l'aimantation par les courants," origine première du télégraphe électrique. Ses beaux travaux sur le "magnétisme par rotation," [4] sur la variation de la boussole, les aurores boréales, et une foule d'autres le firent nommer, en 1829, secrétaire perpétuel de l'Académie des sciences. Il abandonna alors ses cours à l'École polytechnique, et c'est à partir de ce moment qu'il prononça une série d'*Éloges* admirables qui comptent parmi les plus belles pages de l'histoire des sciences. Ses *Notices scientifiques* à l'Annuaire du Bureau des Longitudes [5] sont les premiers essais et combien brillants d'une vulgarisation scientifique, claire, précise, d'une abondante érudition. Ce fut surtout son cours à l'Observatoire, devant un public mondain, qui établit sa réputation universelle de professeur parfait, sachant mettre la science à la portée de tous et ici se place la fameuse histoire du "thermomètre."

Homme du monde, causeur charmant et pétillant d'esprit, Arago se trouvait un soir dans un salon où, très entouré, il se vit pressé d'expliquer comment son cours à l'Observatoire était si bien compris par tous les assistants: hommes de science, gens du monde ou simples artisans. "Mon secret le voici: je cherche, dans l'auditoire, le visage le moins intelligent, miroir d'un esprit paresseux ou obtus et je ne le quitte pas des yeux pendant mon exposé; c'est mon 'thermomètre'; je suis attentivement ses oscillations, renouvelant mes explications jusqu'à ce qu'un éclair illumine le stupide visage; à ce moment, le thermomètre a monté, tout le monde a compris et je passe à un autre sujet."

Or, le savant avait à peine terminé sa piquante histoire, qu'un jeune homme entra et lui fut présenté, le propre neveu de la maîtresse de céans. "Oh! M. Arago doit bien me connaître, s'écria le jeune homme, car à son cours que je suis régulièrement, il ne me quitte jamais des yeux." C'était l'infortuné thermomètre.

Arago se souvint, ce jour-là, que si la parole est d'argent le silence est d'or, et jura, mais un peu tard, qu'on ne l'y prendrait plus.

La simple énumération des découvertes et des travaux de cet illustre savant nous entraînerait trop loin des limites de cette courte causerie; si nous ajoutons qu'à ce labeur scientifique, Arago joignit une carrière politique très remplie, on se fera une faible idée de l'activité dévorante de cet homme extraordinaire. Une seule ombre à ce beau tableau: Arago ne sut pas comprendre l'avenir des chemins de fer et fut avec Thiers un des adversaires les plus acharnés de la nouvelle locomotion.

La politique lui fit perdre bien des instants précieux ravis à la science; elle lui permit, toutefois, de faire de belles choses, tel ce décret qu'il prit, étant ministre de la Marine, en 1848, pour l'abolition de l'esclavage aux colonies.

Écoutons un de ses historiens tracer de lui ce vivant portrait: "Quand M. Arago monte à l'estrade, la Chambre, attentive et curieuse, s'accoude et fait silence, les spectateurs des tribunes publiques se penchent pour le voir. Sa stature est haute, sa chevelure est bouclée et flottante, sa belle tête méridionale domine l'Assemblée. Il y a dans la seule contraction musculeuse de ses tempes une puissance de volonté et de méditation qui révèle un esprit supérieur. A la différence de ces orateurs qui parlent de tout et qui, les trois quarts du temps, ne savent ce qu'ils disent, Arago ne parle que sur des questions préparées à l'avance, qui joignent à l'attrait de la science l'intérêt de l'occasion. A peine est-il entré en matière qu'il attire et concentre sur lui tous les regards. Le voilà qui prend pour ainsi dire la science entre ses mains. Il la dépouille de ses aspérités et de ses formules techniques et il la rend si perceptible que les plus ignorants sont étonnés et charmés de le comprendre. Sa physionomie anime tout l'orateur; il y a quelque chose de lumineux dans ses démonstrations, et des jets de clarté semblent sortir de ses yeux, de sa bouche et de ses doigts . . . Si, face à face avec la science, il la contemple avec profondeur pour en visiter les secrets et en contempler les merveilles, alors son admiration pour elle commence à prendre un magnifique langage, sa voix s'échauffe, sa parole se colore, et son éloquence devient grande comme son sujet."

Il eut la cruelle infortune pour un savant de devenir aveugle sur la fin de sa vie et mourut à Paris, le 2 octobre 1853. Une statue lui a été élevée à Paris, où un boulevard et une école portent également son nom; une autre statue lui a été élevée, dans son pays natal, à Estagel, le 31 août 1865, et une autre à Perpignan, le 21 septembre 1897.

Mme Bonfante, *Savants et artisans de la révolution industrielle*, Librairie Valois, Paris

Les Inventions

La science et les inventions — Boutaric

A quoi tient le prodigieux développement des inventions au cours des soixante dernières années, développement tel qu'il en est résulté pour l'humanité un accroissement de bien-être matériel supérieur, et de beaucoup, à ce qu'il avait été durant tout l'ensemble des siècles passés? Sans doute a-t-il [1] des causes multiples qu'il serait trop long d'analyser ici, mais il ne semble pas exagéré de prétendre qu'il est dû, pour une grande part, aux progrès également prodigieux de la science pure dans tous les domaines et à l'utilisation de plus en plus étendue des méthodes scientifiques par les techniciens.

Que les découvertes de la science aient été souvent le point de départ d'applications nouvelles, c'est ce qui tombe sous les sens et que personne n'a jamais songé à contester. Il est bien certain que le merveilleux domaine des applications de l'électricité n'aurait pu naître sans les découvertes de la pile par Volta, de l'électromagnétisme par Œrsted et par Ampère, des phénomènes d'induction par Faraday. La télégraphie et la téléphonie sans fil découlent directement des recherches théoriques de Maxwell et des expériences qui amenèrent Hertz à la découverte des ondes électromagnétiques. Tous ceux qui ont une certaine culture scientifique savent que les immortelles conceptions théoriques de Sadi Carnot ont contribué pour une grande part au progrès des machines à feu les plus diverses en indiquant dans quel sens devaient être orientées les recherches entreprises pour améliorer la transformation de la chaleur en travail. Nous aurons l'occasion de rapporter comment la découverte de l'*invar*, cet alliage de fer et de nickel qui possède la propriété de ne pas se dilater lorsqu'on le chauffe et dont l'utilisation a rénové notamment l'art de l'horlogerie, s'est présentée comme une conséquence directe des recherches de Charles-Édouard Guillaume sur la dilatation par la chaleur d'alliages de fer et de nickel de teneurs croissantes en ce dernier élément.

Mais s'il paraît évident que les progrès de la science pure ont souvent leur répercussion heureuse dans le domaine des applications pratiques, on se fait parfois de bien étranges idées sur la manière dont se réalisent, de nos jours, découvertes et inventions.

"Tout le monde sait, écrit avec humour le Professeur Bouasse, comment au cinéma se font les grandes découvertes. Sur la table d'un laboratoire sont des fioles, une machine électrique, quelques livres; un tableau noir complète l'installation. Le savant, accoudé sur la table dans l'attitude du *Penseur*, se gratte le nez ou porte nerveusement l'index sur sa tempe. Tout à coup il se lève comme mû par un puissant ressort, se précipite sur le tableau, écrit quelques intégrales sextuples, pousse un cri de joie (que naturellement on n'entend pas):

une découverte sensationnelle bouleversera demain la science et l'industrie. Le savant court au téléphone mettre l'univers au courant du mémorable événement."

M. Bouasse n'exagère peut-être pas autant qu'on pourrait le croire, et le public des cinémas n'est pas le seul à concevoir avec autant d'ingénuité le mécanisme de la découverte scientifique.

"Pendant la guerre, rapporte M. Henry Le Chatelier, un général chargé de la liaison entre l'Académie des Sciences et le Ministère de la Guerre, nous harcelait sans trêve pour nous faire découvrir un explosif dix fois plus puissant que la mélinite; [2] il nous indiquait même la méthode de travail à suivre. Nous n'avions qu'à nous réunir chaque semaine pour causer un quart d'heure du problème; un jour la lumière jaillirait, sans quoi nous ne serions pas de véritables savants."

Sans doute peut-on citer quelques inventeurs à peu près dépourvus de culture scientifique que guidait un sens aigu des réalités concrètes et dont l'ingéniosité était sans cesse en éveil. Ainsi Gramme, qui construisit la dynamo, cet appareil merveilleux d'où devait sortir en peu d'années le développement si étonnamment rapide des applications de l'électricité, était-il un simple ouvrier menuisier. De même le ciment armé, dont l'emploi a bouleversé la construction moderne, a été imaginé par le jardinier français Monnier, qui ne possédait aucune connaissance technique. Mais ces cas sont de plus en plus exceptionnels et, lorsqu'ils se présentent, il est bien rare que l'inventeur puisse mettre ses conceptions définitivement au point. C'est ce qui se produisit pour Monnier, qui finit ses jours à l'hôpital dans un dénuement absolu, sans avoir pu tirer aucun profit de sa découverte pourtant extrêmement féconde. Il ne suffit pas, en effet, d'avoir une idée nouvelle, pour ingénieuse qu'elle soit; [3] il faut encore savoir et pouvoir la matérialiser, ce qui exige des connaissances techniques étendues et des recherches souvent longues et délicates. Faute de toute culture technique, il fut impossible à Monnier de réaliser, industriellement, la pensée bien simple qu'il avait eue de noyer des barres de fer dans le ciment.

Comme inventeur ayant merveilleusement réussi sans avoir une culture scientifique véritable, on peut citer Edison qui fut servi, au cours de sa longue carrière, par des qualités d'observation peu communes, des facultés de travail tout à fait exceptionnelles, et un sens remarquable des affaires. Encore n'est-il arrivé à réaliser le phonographe et à créer l'ampoule électrique à filament de carbone qui devait constituer le point de départ d'une véritable révolution dans l'éclairage, qu'à la suite de recherches extrêmement longues et coûteuses, au cours desquelles furent envisagés minutieusement et scientifiquement tous les facteurs susceptibles d'intervenir dans les problèmes étudiés.

Chaque inventeur a sa façon personnelle de travailler, et sa méthode est bonne si elle le conduit au succès. Mais celle d'Edison ne saurait être proposée comme modèle aux jeunes chercheurs que hante le rêve d'attacher leur nom à quelque réalisation originale. Ce n'est pas celle qu'ont suivie la plupart des inventeurs français dont nous aurons à retracer les efforts. De plus en plus, il semble qu'une invention doive être l'aboutissement de recherches poursuivies suivant les règles de la méthode scientifique et guidées par une connaissance approfondie des acquisitions antérieures de la science tant théoriques qu'expérimentales. Ainsi lorsque l'ingénieur français Georges Claude se proposa de liquéfier l'air en ne mettant en œuvre que des pressions relativement faibles, très inférieures à celles qu'on avait cru nécessaire d'utiliser jusqu'alors, nous verrons qu'il fut guidé par ce fait physique incontestable qu'un gaz se refroidit beaucoup plus énergiquement lorsqu'il se détend en repoussant un piston que lorsque sa décompression ne donne lieu à aucun effet mécanique, en sorte que dans le premier cas le même abaissement de température doit pouvoir s'obtenir au moyen d'une chute bien moindre de pression et par suite beaucoup plus économiquement que dans le second. Quand il s'est agi de faire la synthèse de l'ammoniaque en combinant directement l'azote et l'hydrogène, les considérations théoriques de chimie-physique indiquaient au contraire que le rendement de l'opération devait croître avec la pression mise en jeu. Aussi Georges Claude songea-t-il à faire intervenir, pour effectuer cette synthèse, des hyperpressions de mille atmosphères laissant bien loin derrière elles les modestes pressions de 200 atmosphères que le chimiste allemand Haber considérait comme les plus élevées dont on pût envisager la mise en œuvre. Ainsi dans l'un des cas, conformément aux indications fournies par l'étude scientifique du problème, Georges Claude est arrivé au succès le plus éclatant en réduisant beaucoup la pression utilisée, et dans l'autre, au contraire, en l'augmentant dans un rapport que de moins avertis eussent pu croire impraticable. Bienfaisant concours que celui [4] apporté par la science aux inventeurs qui savent en comprendre les enseignements!

Nous aurons à signaler d'autres exemples non moins suggestifs. C'est Langevin [5] mettant au point un dispositif susceptible de produire et de déceler les ondes ultra-sonores si précieuses pour le repérage des fonds sous-marins, grâce à des recherches étayées à chaque instant sur des considérations théoriques de l'ordre le plus élevé. C'est Lippmann découvrant un procédé de photographie en couleur qui reproduit les teintes les plus variées avec une fidélité absolument parfaite, à la suite de recherches extrêmement délicates d'optique physique reposant sur une connaissance approfondie des phénomènes d'interférence [6] de la lumière. C'est encore Marcel Deprez [7] établissant théoriquement toutes les conditions requises pour la transmission à distance de l'énergie électrique, transmission qui devait bouleverser si profondément l'industrie et la vie modernes.

M. Henry Le Chatelier a insisté, dans un grand nombre de publications, sur l'intérêt que présente, du point de vue des réalisations pratiques, la mise en œuvre des méthodes et des données de la science, et il a lui-même souvent prêché d'exemple en apportant d'importantes améliorations à des techniques très variées par une étude rationnelle de tous les phénomènes qu'elles comportent. Tout récemment, désirant mettre en relief l'origine scientifique de la plupart des techniques industrielles, il faisait un historique fort instructif de l'ensemble des recherches de science pure qu'a demandé la mise au point d'une invention d'apparence pourtant fort simple: la soudure autogène de l'acier avec le chalumeau oxyacétylénique. On nous permettra de citer ici intégralement le texte de l'auteur:

"La découverte de l'acétylène n'a été possible qu'après la création de la chimie par Lavoisier, l'institution des méthodes de l'analyse organique par Gay-Lussac et Regnault, et enfin la connaissance des lois des combinaisons gazeuses dues à Gay-Lussac[8] et Dumas. Mais l'intervention de ces savants, quoique absolument indispensable, n'a été qu'indirecte et lointaine. Voici maintenant les contributions directes des savants: Berthelot découvre l'acétylène, détermine sa composition chimique et montre que, de tous les corps connus, c'est celui qui dégage par sa combustion le plus de chaleur . . . Mais le procédé de préparation de ce gaz mettant le prix du mètre cube à plusieurs milliers de francs ne pouvait comporter aucune application industrielle. Plus tard, Maquenne réussit à préparer l'acétylène par l'action de l'eau sur le carbure de baryum; cela laissait encore le prix du mètre cube à plusieurs centaines de francs. Enfin, Moissan découvre la préparation du carbure de calcium au four électrique. Ce corps décomposé par l'eau donne, comme le carbure de baryum, de l'acétylène, mais au prix de quelques francs seulement le mètre cube. C'est le procédé de fabrication industrielle employé encore aujourd'hui.

"L'acétylène servit tout d'abord à l'éclairage, en raison du pouvoir lumineux considérable de sa flamme. Mais, pour cet usage, il fallait le transporter. M. Villard reconnut que ce gaz pouvait être liquéfié et transporté en bouteilles comme l'acide carbonique. Une industrie se monta pour la fabrication du gaz liquéfié, mais des explosions terribles obligèrent immédiatement à abandonner cette opération. M. Vieille montra alors que

l'acétylène liquide possède une force explosive égale à celle de la dynamite et une aptitude à la détonation plus grande encore. Sur ces entrefaites, M. Claude reconnut la très grande solubilité de l'acétylène dans l'acétone et pensa que la présence de ce dissolvant inerte, l'acé- 5
tone, pourrait s'opposer à la détonation de l'acétylène. Une société se fonda pour utiliser cette découverte: la Société de l'Acétylène dissous, qui, après plusieurs transformations, devint la Société 'L'Air Liquide.' On demanda à M. Vieille de vérifier l'inexplosibilité de 10
l'acétylène dissous. Il reconnut que cette dissolution atténue beaucoup le danger mais ne le supprime pas complètement. Il semblait que la nouvelle industrie allait encore sombrer dès ses débuts. M. H. Le Chatelier, consulté par un de ses frères, administrateur de 15
ladite Société, montra que l'on supprimait tout danger d'explosion en imbibant la dissolution dans un corps solide poreux. Cette fois, l'industrie de l'acétylène dissous était définitivement au point, et pendant vingt ans, elle a assuré l'éclairage des automobiles, 20
sans qu'aucun perfectionnement nouveau ait été réalisé.

"Au cours de recherches sur la combustion des mélanges gazeux, entreprises à l'occasion d'explosions de grisou survenues dans les mines de houille, M. H. Le 25
Chatelier eut incidemment l'occasion d'étudier la combustion de l'acétylène mêlé à l'oxygène. Il trouva que la vitesse initiale de propagation de la flamme était de 200 mètres par seconde, plus élevée que pour aucun autre mélange gazeux; que la température de combus- 30
tion, voisine de 4.000°, était supérieure même à celle de l'arc électrique, et la plus élevée que nous sachions

produire. On pouvait d'ailleurs, sans abaisser la température de la flamme, réaliser la combustion avec une quantité d'oxygène assez faible pour que les produits de la combustion fussent entièrement réducteurs. M. H. Le Chatelier indiqua alors qu'un chalumeau ainsi alimenté serait parfait pour la soudure autogène du fer et il essaya, mais sans succès, de réaliser ce chalumeau. Le problème fut résolu par un jeune ingénieur, M. Picard, qui, plus audacieux, osa mêler les deux gaz avant leur combustion. On pouvait craindre qu'il ne fût impossible d'empêcher le retour en arrière de l'explosion, en raison de la très grande vitesse initiale de propagation de la flamme. C'est le chalumeau de M. Picard qui, sous des variantes nombreuses, est encore employé.

"Cette industrie a donc été créée par les travaux de douze savants, tous membres de l'Académie des Sciences, et d'un ingénieur qui, sans être à proprement parler un savant de métier, avait cependant fait de très fortes études scientifiques.

"Pour brûler cet acétylène, il fallait de l'oxygène à bon marché. L'industrie de la fabrication de l'oxygène par liquéfaction de l'air a encore été créée de toutes pièces par des savants. Elle repose sur une science générale, l'énergétique, due à deux illustres physiciens: Sadi Carnot et Joule. Le procédé industriel a été imaginé par sir William Siemens, membre de la Société royale de Londres, et mis au point par notre compatriote Claude, membre de l'Académie des Sciences."

Mais est-il nécessaire de prolonger cette énumération, puisque au cours des pages que nous allons suivre, nous aurons, à chaque instant, l'occasion de montrer les inventeurs utilisant les données et les méthodes de la science pour résoudre les problèmes qu'ils se sont posés?

A. Boutaric, *Les Grandes Inventions françaises*, Les Éditions de France, Paris

Claude Bernard

1813–1878

Claude Bernard, le plus grand physiologiste français du XIXe siècle, naquit à Saint-Julien (Rhône) en 1813. Il fit des études sur la formation du sucre dans le foie et travailla avec Magendie sur la physiologie et la pathologie du système nerveux. Il était professeur au Collège de France et à la Sorbonne.

En 1865 il publia son *Introduction à l'étude de la médecine expérimentale* qu'on a appelée "le plus important ouvrage scientifique et philosophique de la seconde moitié du dix-neuvième siècle." Dans ce livre Claude Bernard montre qu'on peut provoquer les phénomènes d'ordre physiologique dans des conditions favorables pour pouvoir les étudier plus facilement. Cette doctrine bouleversa toute la physiologie de l'époque. Quelques années plus tard un romancier Émile Zola, le chef de l'école naturaliste, s'inspirant de la doctrine de Claude Bernard, inventa ce qu'il appelait le "roman expérimental," affirmant que le romancier doit placer ses personnages dans certaines conditions pour les regarder agir, comme s'ils étaient des plantes ou des animaux dans des expériences scientifiques.

Claude Bernard — Renan

Le courage que Bernard montra dans ces luttes terribles contre un Protée qui semble vouloir défendre ses secrets fut quelque chose d'admirable. Ses ressources étaient chétives. Ces merveilleuses expériences, qui frappaient d'admiration l'Europe savante, se faisaient dans une sorte de cave humide, malsaine, où notre confrère contracta probablement le germe de la maladie qui l'enleva; d'autres se faisaient à Alfort [1] ou dans les abattoirs. Ces expériences sur des chevaux furieux, sur des êtres imprégnés de tous les virus, étaient quelquefois effroyables. Le docteur Rayer venait de découvrir que la plus terrible maladie du cheval se transmet à l'homme qui le soigne. Bernard voulut étudier la nature de ce mal hideux.[2] Dans une convulsion suprême, le cheval lui déchire le dessus de la main, la couvre de sa bave. "Lavez-vous vite, lui dit Rayer, qui était à côté de lui.—Non, ne vous lavez pas, lui dit Magendie, vous hâteriez l'absorption du virus." Il y eut une seconde d'hésitation. "Je me lave, dit Bernard, en mettant la main sous la fontaine, c'est plus propre."

Ernest Renan, *Discours et conférences*

L'observateur et l'expérimentateur — Bernard

Où donc se trouve dès lors, demandera-t-on, la distinction entre l'observateur et l'expérimentateur? La voici: on donne le nom d'observateur à celui qui applique les procédés d'investigation simples ou com-

plexes à l'étude de phénomènes qu'il ne fait pas varier et qu'il recueille, par conséquent, tels que la nature les lui offre. On donne le nom d'*expérimentateur* à celui qui emploie les procédés d'investigation simples ou com-
5 plexes pour faire varier ou modifier, dans un but quelconque, les phénomènes naturels et les faire apparaître dans des circonstances ou dans des conditions dans lesquelles la nature ne les lui présentait pas. Dans ce sens, l'*observation* est l'investigation d'un phénomène naturel, et
10 l'*expérience* est l'investigation d'un phénomène modifié par l'investigateur. Cette distinction, qui semble être tout extrinsèque et résider simplement dans une définition de mots, donne cependant, comme nous allons le voir, le seul sens suivant lequel il faut com-
15 prendre la différence importante qui sépare les sciences d'observation des sciences d'expérimentation ou expérimentales. * * *

Il y a des sciences qui, comme l'astronomie, resteront toujours pour nous des sciences d'observation, parce
20 que les phénomènes qu'elles étudient sont hors de notre sphère d'action; mais les sciences terrestres peuvent être à la fois des sciences d'observation et des sciences expérimentales. Il faut ajouter que toutes ces sciences commencent par être des sciences d'observation pure; ce
25 n'est qu'en avançant dans l'analyse des phénomènes qu'elles deviennent expérimentales, parce que l'observateur, se transformant en expérimentateur, imagine des procédés d'investigation pour pénétrer dans les corps et faire varier les conditions des phénomènes. L'*expérimen-*
30 *tation* n'est que la mise en œuvre des procédés d'investigation qui sont spéciaux à l'expérimentateur. * * *

Au fond toutes les sciences raisonnent de même et

visent au même but. Toutes veulent arriver à la connaissance de la loi des phénomènes de manière à pouvoir prévoir, faire varier ou maîtriser ces phénomènes. Or, l'astronome prédit les mouvements des astres, il en tire une foule de notions pratiques, mais il ne peut modifier par l'expérimentation les phénomènes célestes comme le font le chimiste et le physicien pour ce qui concerne leur science. 5

Donc, s'il n'y a pas, au point de vue de la méthode philosophique, de différence essentielle entre les sciences d'observation et les sciences d'expérimentation, il en existe cependant une réelle au point de vue des conséquences pratiques que l'homme peut en tirer, et relativement à la puissance qu'il acquiert par leur moyen. Dans les sciences d'observation, l'homme observe, et raisonne expérimentalement, mais il *n'expérimente pas;* et dans ce sens on pourrait dire qu'une science d'observation est une *science passive.* Dans les sciences d'expérimentation, l'homme observe, mais de plus il agit sur la matière, en analyse les propriétés et provoque à son profit l'apparition de phénomènes, qui sans doute se passent toujours suivant les lois naturelles, mais dans des conditions que la nature n'avait souvent pas encore réalisées. A l'aide de ces *sciences expérimentales actives*, l'homme devient un inventeur de phénomènes, un véritable contremaître de la création; et l'on ne saurait, sous ce rapport, assigner de limites à la puissance qu'il peut acquérir sur la nature, par les progrès futurs des sciences expérimentales. 10 15 20 25

Claude Bernard, *Introduction à l'étude de la médecine expérimentale*

Le cœur ne cesse jamais d'être une pompe foulante, c'est-à-dire un moteur qui distribue le liquide vital à tous les organes de notre corps. S'il s'arrête, il y a nécessairement suspension ou diminution dans l'arrivée
5 du liquide vital aux organes, et par suite suspension ou diminution de leurs fonctions; si au contraire l'arrêt léger du cœur est suivi d'une intensité plus grande dans son action, il y a distribution d'une plus grande quantité du liquide vital dans les organes, et par suite
10 surexcitation de leurs fonctions.

Cependant tous les organes du cœur et tous les tissus ne sont pas également sensibles à ces variations de la circulation artérielle qui peuvent diminuer ou augmenter brusquement la quantité du liquide nourricier
15 qu'ils reçoivent. Les organes nerveux et surtout le cerveau, qui constituent l'appareil dont la texture est la plus délicate et la plus élevée dans l'ordre physiologique, reçoivent les premiers les atteintes de ces troubles circulatoires. C'est une loi générale pour tous
20 les animaux: depuis la grenouille jusqu'à l'homme, la suspension de la circulation du sang amène en premier lieu la perte des fonctions cérébrales et nerveuses, de même que l'exagération de la circulation exalte d'abord les manifestations cérébrales et nerveuses.

25 Toutefois ces réactions de la modification circulatoire sur les organes nerveux demandent pour s'opérer un temps très différent selon les espèces.

Chez les animaux à sang froid, ce temps est très long, surtout pendant l'hiver; une grenouille reste plusieurs heures avant d'éprouver les conséquences de l'arrêt de la circulation; on peut lui enlever le cœur et pendant quatre ou cinq heures elle saute et nage sans que sa volonté ni ses mouvements paraissent le moins du monde troublés.

Chez les animaux à sang chaud, c'est tout différent: la cessation d'action du cœur amène très rapidement la disparition des phénomènes cérébraux, et d'autant plus facilement que l'animal est plus élevé, c'est-à-dire possède des organes nerveux plus délicats.

Le raisonnement et l'expérience nous montrent qu'il faut encore placer, sous ce rapport, l'homme au premier rang. Chez lui, le cerveau est si délicat qu'il éprouvera en quelques secondes, et pour ainsi dire instantanément, le retentissement des influences nerveuses exercées sur l'organe central de la circulation, influences qui se traduisent, comme nous allons le voir bientôt, tantôt par une émotion, tantôt par une syncope.

Les phénomènes physiologiques suivent partout une loi identique, mais la nature plus ou moins délicate de l'organisme vivant peut leur donner une expression toute différente. Ainsi la loi de la réaction du cœur sur le cerveau est la même chez la grenouille et chez l'homme; cependant jamais la grenouille ne pourra éprouver une émotion ni une syncope, parce que le temps qu'il faut à son cœur pour ressentir l'influence nerveuse, et à son cerveau pour éprouver l'influence circulatoire, est si long que la relation physiologique entre les deux organes disparaît.

Chez l'homme, l'influence du cœur sur le cerveau se traduit par deux états principaux entre lesquels on peut imaginer beaucoup d'intermédiaires: la *syncope* et l'*émotion*.

La *syncope* est la cessation momentanée des fonctions cérébrales par cessation de l'arrivée du sang artériel dans le cerveau.

On pourrait produire la syncope en liant ou en comprimant directement toutes les artères qui vont au cerveau; mais ici nous ne nous occupons que de la syncope qui survient par une influence sensitive portée sur le cœur et assez énergique pour arrêter ses mouvements. L'arrêt du cœur qui produit la perte de connaissance en privant le cerveau de sang amène aussi la pâleur des traits et une foule d'autres effets accessoires dont il ne peut être question ici. Toutes les impressions sensitives énergiques et subites sont dans le cas d'amener la syncope, quelle qu'en soit d'ailleurs la nature. Des impressions physiques sur les nerfs sensitifs ou des impressions morales, des sensations douloureuses ou des sensations de volupté, conduisent aux mêmes résultats et amènent l'arrêt du cœur.

La durée de la syncope est naturellement liée à la durée de l'arrêt du cœur. Plus l'arrêt a été intense, plus en général la syncope se prolonge, et plus difficilement se rétablissent les battements cardiaques, qui d'abord reviennent irrégulièrement pour ne reprendre que lentement leur rythme normal.

Quelquefois l'arrêt du cœur est définitif et la syncope peut être mortelle; chez les individus faibles et en même temps sensibles, cela peut arriver. On a constaté expérimentalement que, sur des colombes épuisées par l'inaction, il suffit parfois de produire une douleur vive, en pinçant un nerf de sentiment, pour amener un arrêt du cœur définitif et une syncope mortelle.

L'*émotion* dérive du même mécanisme physiologique

que la syncope, mais elle a une manifestation bien différente. La syncope, qui enlève le sang au cerveau, donne une expression négative, en prouvant seulement qu'une impression nerveuse violente est allée se réfléchir sur le cœur pour revenir frapper le cerveau. L'émotion, au contraire, qui envoie au cerveau une circulation plus active, donne une expression positive, en ce sens que l'organe cérébral reçoit une surexcitation fonctionnelle en harmonie avec l'influence nerveuse qui l'a déterminée. Dans l'émotion, il y a toujours une impression initiale qui surprend en quelque sorte et arrête très légèrement le cœur, et par suite une faible secousse cérébrale qui amène une pâleur fugace; aussitôt le cœur, comme un animal piqué par un aiguillon, réagit, accélère ses mouvements et envoie le sang à plein calibre par l'aorte et par toutes les artères. Le cerveau, le plus sensible de tous les organes, éprouve immédiatement et avant tous les autres les effets de cette modification circulatoire. Le cerveau a été sans doute le point de départ de l'impression nerveuse sensitive; mais par l'action réflexe sur les nerfs moteurs du cœur, l'influence sensitive a provoqué dans le cerveau les conditions qui viennent se lier à la manifestation du sentiment.

En résumé, chez l'homme, le cœur est le plus sensible des organes de la vie végétative; il reçoit le premier de tous l'influence nerveuse cérébrale. Le cerveau est le plus sensible des organes de la vie animale; il reçoit le premier de tous l'influence de la circulation du sang. De là résulte que ces deux organes culminants de la machine vivante sont dans des rapports incessants d'action et de réaction. Le cœur et le cerveau se trouvent dès lors dans une solidarité d'actions réciproques des plus intimes, qui se multiplient et se resserrent d'autant plus que l'organisme devient plus développé et plus délicat.

A. Rebière, PAGES CHOISIES DES SAVANTS MODERNES, Librairie Vuibert, Paris: *La Science expérimentale*

Louis Pasteur

1822–1895

Louis Pasteur est peut-être le plus connu de tous les savants français. Il commença sa carrière comme chimiste, et ses premières expériences sur la fermentation lui donnèrent la complète explication des altérations que peuvent subir les substances organiques: le vin, la bière, les fruits et les matières animales de toute espèce. Mais son nom restera immortel surtout parce qu'il trouva un remède contre cette terrible maladie qu'est la rage. Il serait bien difficile de trouver un autre savant dont les découvertes aient été plus profitables au bien-être, au bonheur de l'humanité.

La mort de la petite Pelletier

Vallery-Radot

Pasteur s'intéressait à tous. Il s'informait de la situation de chacun. Voyait-il un pauvre paysan arriver dans ce grand Paris, il veillait lui-même à le faire loger dans un hôtel du voisinage et à rendre toute chose facile. Les enfants surtout lui inspiraient une extrême 5
sollicitude. Aussi lorsqu'il reçut, le 9 novembre, une petite fille âgée de dix ans, mordue grièvement par un

chien de montagne, le 3 octobre, c'est-à-dire trente-sept jours auparavant, et qu'il vit cette morsure à la tête, dont la plaie était encore suppurante et sanguinolente, sa pitié fut mêlée d'effroi. Il se disait: Voilà un cas désespéré! L'explosion de la rage est sans doute à la veille de se produire. Il est trop tard pour que la méthode préventive ait la moindre chance d'efficacité. Ne devrais-je pas, dans l'intérêt scientifique de la méthode, refuser de soigner cette enfant arrivée si tard et dans des conditions exceptionnellement graves? S'il survenait un malheur, quel trouble chez tous ceux qui ont déjà été traités! et combien de personnes mordues, découragées ou déconseillées de venir au laboratoire, succomberont peut-être? Toutes ces pensées se croisaient rapidement dans l'esprit de Pasteur. Mais quelque chose de plus fort l'emporta: le sentiment d'humanité devant un père et une mère qui venaient lui demander de sauver leur enfant.

Le traitement achevé, Louise Pelletier avait repris ses habitudes d'écolière laborieuse, quand tout à coup des accès d'oppression se manifestèrent, puis des spasmes convulsifs. Elle ne pouvait plus rien avaler. Dès que ces phénomènes apparurent, Pasteur vint auprès d'elle. On tenta de nouvelles inoculations. Le 2 décembre, il y eut pendant quelques heures un calme qui donna à Pasteur l'illusion qu'elle allait être sauvée. Cette illusion dura peu. Après avoir assisté, le cœur plein de tristesse, aux obsèques de Bouley, Pasteur passa sa journée dans le petit appartement de la rue Dauphine où demeurait la famille Pelletier. Assis au chevet de cette enfant, il ne pouvait la quitter. Elle-même, pleine de tendresse, lui demandait, à travers une respiration haletante, la parole entrecoupée, de ne pas s'en aller, de rester près d'elle. Entre deux spasmes, elle lui prenait la main. Pasteur partageait le chagrin de ce père et de cette mère. Quand tout espoir fut perdu: "J'aurais tant voulu, leur dit-il, sauver votre pauvre petite!" Et dans l'escalier il éclata en sanglots.

René Vallery-Radot, *La Vie de Pasteur*, Librairie Ernest Flammarion, Paris

Pasteur guérit la rage — Drouin

Le 9 décembre 1885, Pasteur connut une des plus grandes douleurs de sa vie. Un mois auparavant on lui avait amené une fillette de dix ans, Louise Pelletier, qui, trente-sept jours en-deçà, avait été mordue très grièvement à la tête par un chien de montagne. La raison commandait l'abstention. Les adversaires de Pasteur ne désarmaient pas. Quel bel argument ce serait pour eux si l'enfant succombait à la rage malgré le traitement! Cette issue semblait fatale. Mais Pasteur écoutait souvent les raisons de son cœur plutôt que celles de son intérêt, même scientifique. Il entreprit le traitement. Bien que la rage parût imminente, Louise Pelletier ne présenta aucun symptôme pendant toute la durée des injections, elle reprit même ses classes. Elle était Parisienne et, ses parents habitant rue Dauphine, Pasteur la surveillait assidûment. Fin novembre, des signes non douteux de rage apparurent. On reprit les inoculations. En vain. L'agonie fut atroce. Pasteur tint à y assister jusqu'au bout. Louise Pelletier mourut, les mains baignées des larmes du grand ami qui eût donné sa vie pour sauver celle de cette enfant.

Ainsi qu'il le pressentait, la mort de la petite Pelletier fut exploitée contre Pasteur avec une mauvaise foi qui tenait de la haine. Certains mordus, venus à Paris pour subir les inoculations, hésitaient des semaines entières avant de se décider. Les journaux politiques, les chansonniers, les caricaturistes s'en mêlaient.

En mars 86, dix-neuf Russes originaires de Smolensk furent envoyés rue d'Ulm. Tous portaient des blessures affreuses que leur avaient faites quinze jours auparavant les dents d'un loup enragé. Les cinq plus gravement atteints furent hospitalisés à l'Hôtel-Dieu. Les autres vinrent deux fois par jour au laboratoire. Pasteur, devant la gravité du cas, avait en effet résolu de faire une inoculation le matin et une le soir. Trois des hospitalisés moururent, les seize autres furent guéris.

C'était un résultat magnifique puisque les statistiques russes accusaient une mortalité de 82 pour 100 morsures par loups enragés.

Au 1er novembre 1886, 1.726 [1] personnes avaient reçu les inoculations anti-rabiques, 12 seulement avaient succombé à la rage. En se rapportant à la statistique la plus optimiste on devait compter une mortalité moyenne de 16 pour 100 avant la découverte de Pasteur. Un calcul très simple indique que sur 1726 mordus 264 eussent dû succomber.

De tels chiffres n'empêchaient pas que l'on proclamât *urbi et orbi* la malfaisance de Pasteur. S'appuyant sur l'argument de la non-fatalité de la mort par la rage, on discutait chacun des cas. On eût voulu que Pasteur prouvât que ses malades fussent morts s'il ne les avait pas soignés. Pour ceux qui mouraient malgré le traitement, on parlait froidement d'homicide par imprudence.

Quand on connaît les réactions de Pasteur devant les contradictions purement scientifiques, on peut juger de son état d'esprit lorsqu'il s'agissait de la vie ou de la mort de centaines d'innocents. Ce n'était plus une méthode, une théorie qu'il fallait défendre, mais l'existence même des malades que ces campagnes de dénigrement risquaient d'éloigner du traitement sauveur.

A la mauvaise foi, à l'ignorance obstinée et volontaire, il répondit par de nouvelles expériences. Parce qu'on l'accusait de donner aux hommes une nouvelle espèce de rage, sorte de monstrueuse création de laboratoire: la rage du lapin, il abaissa son génie à des démonstrations quasi enfantines. La famille Pelletier l'avait autorisé à prélever un peu de la matière cérébrale de la petite Louise. Il montra que cette substance cérébrale donnait la rage au lapin après dix-huit jours d'incubation, alors que la substance vaccinale [2] la donnait en sept jours. En vain. Tant de soins, tant de coups l'accablaient. Le lutteur intrépide, ardent, aggressif, mollissait. Il se laissa conduire à Bordighera afin d'y reprendre quelques forces. Il était temps, ce grand cœur montrait des signes inquiétants d'affaiblissement.

Avant son départ, Pasteur avait pu assister à l'installation, rue Vauquelin, du service anti-rabique. Les baraquements légers comprenaient une salle d'attente, un cabinet d'inoculation, une salle pour le traitement chirurgical des morsures.

Pasteur, en quittant Paris, pouvait se dire qu'il y laissait d'ardents défenseurs. Vulpian, collaborateur et témoin des premières inoculations, se mit à leur tête.

"Cessez cette guerre sans excuse, criait-il aux haineux détracteurs de la vaccination anti-rabique. Vous attaquez inconsidérément une des plus grandes découvertes qui aient jamais été faites. La série des recherches qui ont conduit M. Pasteur à cette découverte est, en tout point, admirable . . . La gloire de M. Pasteur est telle que bien des dents s'y useront. Nos travaux et nos noms seront depuis longtemps ensevelis sous la marée montante de l'oubli; le nom et les travaux de M. Pasteur resplendiront encore, et sur des hauteurs si élevées qu'elles ne seront jamais atteintes par ce triste flot."

Le 12 avril 1886, une commission déléguée officiellement par le Gouvernement anglais, venait, sous la présidence de Sir James Paget, vérifier les résultats de la vaccination anti-rabique. Ses conclusions, après quatorze mois de travail et une enquête serrée, sont une adhésion sans réserve aux méthodes pastoriennes. "Il serait difficile d'exagérer l'utilité de cette découverte tant au point de vue de son utilité pratique que de ses applications à la pathologie générale."

Les dernières oppositions étaient submergées par le flot des enthousiasmes. A son retour à Paris, Pasteur allait voir se réaliser enfin le rêve de son âge mûr.

Sur l'initiative de cette Académie qui jadis lui avait ouvert comme à regret ses portes, de cette Académie où il avait bataillé si souvent, une souscription internationale était lancée pour fonder un Institut de vaccination et de recherche sous le nom d'Institut Pasteur.

"Sans la théorie, disait-il, la pratique n'est que la routine donnée par l'habitude. La théorie seule peut faire surgir et développer l'esprit d'invention. C'est à vous surtout qu'il appartiendra de ne point partager l'opinion de ces esprits étroits qui dédaignent tout ce qui dans les sciences n'a pas une application immédiate. Vous connaissez le mot charmant de Franklin. Il assistait à la première démonstration d'une découverte purement scientifique. Et l'on demande autour de lui: Mais à quoi cela sert-il? Franklin répond: 'A quoi sert l'enfant qui vient de naître?' Oui, Messieurs, à quoi sert l'enfant qui vient de naître? Et pourtant à cet âge de la plus tendre enfance, il y avait en vous déjà les germes inconnus des talents qui vous distinguent. Dans vos fils à la mamelle, dans ces petits êtres qu'un souffle ferait tomber, il y a des magistrats, des savants, des héros aussi vaillants que ceux qui à cette heure se couvrent de gloire sous les murs de Sébastopol.[3] De même, Messieurs, la découverte théorique n'a pour elle que le mérite de l'existence. Elle éveille l'espoir et c'est tout. Mais laissez-la cultiver, laissez-la grandir et vous verrez ce qu'elle deviendra.

"Savez-vous à quelle époque il vit le jour pour la première fois, ce télégraphe électrique, l'une des plus merveilleuses applications des sciences modernes? C'était dans cette mémorable année 1822.[4] Œrsted, physicien danois, tenait en mains un fil de cuivre réuni par ses extrémités aux deux pôles d'une pile de Volta. Sur sa table se trouvait une aiguille aimantée, placée sur son pivot, et il vit tout à coup (par hasard, direz-vous

peut-être, mais souvenez-vous que, dans les champs de l'observation, le hasard ne favorise que les esprits préparés), il vit tout à coup l'aiguille se mouvoir et prendre une position très différente de celle que lui assigne le
5 magnétisme terrestre. Un fil traversé par un courant électrique fait dévier de sa position une aiguille aimantée. Voilà, Messieurs, la naissance du télégraphe actuel. Combien plus, à cette époque, en voyant une aiguille se mouvoir, l'interlocuteur de Franklin n'eût-il pas dit [5]:
10 'Mais à quoi cela sert-il?' Et cependant la découverte n'avait que vingt ans d'existence quand elle donna cette application, presque surnaturelle dans ses effets, du télégraphe électrique."

René Vallery-Radot, *La Vie de Pasteur*, Librairie Ernest Flammarion, Paris

Marcellin* Berthelot

1827–1907

Son œuvre

L'œuvre scientifique de Berthelot est immense. Elle révèle un des esprits les plus puissants et les plus équilibrés qu'il y ait eu jamais, un génie philosophique et encyclopédique qui savait au besoin étonnamment se spécialiser. 5

L'exposé de ses recherches compte plus de 1200 mémoires publiés sans interruption de 1850 à 1907 dans les Comptes Rendus de l'Académie des Sciences et dans les Annales de Physique et de Chimie. La seule énumération des questions abordées dépasserait le cadre de 10 cette étude. Contentons-nous de dire que ses travaux ont porté sur quatre sortes de questions: la synthèse chimique, la thermochimie,[1] la chimie agricole et l'histoire de la chimie.

Durant la première moitié du XIXe siècle, la chimie 15 avait suivi une marche analytique. "Dans la nature vivante, écrivait Berzélius en 1848, les éléments paraissent obéir à de tout autres lois que dans la nature inorganique. La clef de cette différence est si cachée que

* The variant *Marcelin* is in common use.

nous n'avons aucun espoir de la découvrir." Lavoisier, Gerhardt, jugeaient de même que le chimiste qui opère par analyse fait le contraire de la vie qui opère par synthèse. Berthelot bouleversa la science en réalisant à 5 l'aide des seules forces naturelles, chaleur et électricité, les composés fondamentaux qui servent à préparer les autres; il créa, comme la vie, par synthèse.

Le premier pas était le plus difficile: comment combiner l'inerte carbone avec le plus léger des gaz, l'hydro- 10 gène? Cette union directe, regardée comme impossible, il la réalisa dans l'arc électrique. Il créa l'acétylène, point de départ de l'innombrable série des carbures d'hydrogène. Condensé sous l'influence de la chaleur, l'acétylène fournit la benzine; additionné d'hydrogène, 15 il donna l'éthylène, dont l'union avec l'eau fournit l'alcool. Successivement les alcools, les acides, les corps gras furent reproduits. Bien plus, suivant ses expressions mêmes "la synthèse chimique tire chaque jour du néant, pour le plus grand bien de l'humanité une 20 multitude de corps nouveaux, couleurs d'aniline dont l'éclat l'emporte sur celui des couleurs minérales ou végétales, composés thérapeutiques nouveaux, gloire de la pharmacopée moderne, succédanés ou remplaçants des vieux remèdes extraits de plantes tels que la mor- 25 phine ou la quinine."

Comme conclusion de ces recherches qui faisaient tomber l'infranchissable barrière entre les produits du monde minéral et les produits du monde vivant, il put dire: "La chimie crée son objet; cette faculté créatrice, 30 semblable à celle de l'art lui-même, la distingue essentiellement des autres sciences."

Marcellin Berthelot: Pages choisies, Crès et Cie, Paris

Berthelot était admirablement doué. Il avait toutes les qualités nécessaires à un savant: la mémoire, l'intelligence et un don prodigieux d'observation. Il travaillait sans relâche. Il dressait chaque jour le programme de ses occupations de six heures à minuit et il le suivait scrupuleusement. Lors des fêtes de son cinquantenaire scientifique, Moissan lui disait: A quelqu'un qui serait surpris devant une aussi grande production scientifique, vous pourriez répondre comme Faraday: "Le secret se résume en trois mots: travailler, terminer, publier." Mais le véritable secret de son génie c'est la foi enthousiaste qu'il eut en la science. La science lui apparaissait comme seule capable d'améliorer toujours davantage la condition matérielle et morale de l'humanité. C'est sur elle qu'il comptait pour faire régner plus de justice et plus de bonheur parmi les hommes. De cette religion nouvelle, qu'il croyait devoir être celle de l'avenir, il se considérait comme l'un des prêtres, astreint par là aux plus rigides devoirs: "Un savant, vraiment digne de ce nom, consacre une vie désintéressée au grand œuvre de notre époque; je veux dire à l'amélioration, trop lente, hélas! à notre gré, du sort de tous, depuis les riches et les heureux jusqu'aux humbles, aux pauvres, aux souffrants!"

Il a insisté souvent sur le désintéressement nécessaire du savant: "Ceux qui font ces merveilleuses inventions ne possèdent toute leur initiative, toute leur puissance créatrice, qu'à condition d'être désintéressés, comme le Richi [2] Indien. Celui qui abaisse son idéal et qui s'en distrait, ne tarde guère à perdre le génie nécessaire pour le poursuivre."

Il se conforma strictement à cette règle et ne tira jamais aucun profit de ses découvertes. Elles eussent pu cependant lui faire acquérir des fortunes considérables. Le prodigieux développement industriel de 5 l'Allemagne moderne est dû en grande partie à la révolution que ses méthodes de synthèse introduisirent dans les sciences. Ses études sur les explosifs, qui aboutirent à la poudre sans fumée, lui eussent permis d'amasser des richesses comparables à celles de Nobel. Dès le 10 début de sa carrière, ses recherches sur les carbures d'hydrogène le conduisirent à un perfectionnement dans la fabrication du gaz d'éclairage qui, à Paris seulement, constituait une économie de plusieurs centaines de milliers de francs par an pour la Compagnie du Gaz. 15 Mais Berthelot abandonna toujours à la communauté les bénéfices de ses découvertes et ne prit jamais un seul brevet. A maintes reprises, de grands industriels vinrent lui proposer des associations ou l'achat de ses procédés sur la fabrication synthétique des composés or-20 ganiques. Les brasseries du Nord de la France lui offrirent un jour deux millions pour qu'il leur réservât le monopole d'une de ses découvertes. Constamment il se déroba à ces sollicitations. Il ne travaillait que pour la science.

25 Il est des savants qui sont supérieurs à leur œuvre. Il en est d'autres à qui les circonstances ont permis de réaliser une œuvre supérieure à leur génie. Berthelot fut égal à son œuvre, qui est immense, mais qu'il mérita par l'étendue et la profondeur de son intelligence, par 30 son labeur ininterrompu, par l'enthousiasme qui ne cessa de l'enflammer pour tout ce qui est noble et grand. Au soir de sa vie, à l'heure où, se repliant sur soi-même,

on se rappelle le passé, il pouvait se rendre ce témoignage: "J'ai vécu fidèle au rêve de justice et de vérité qui avait ébloui ma jeunesse."

A. Boutaric, "Marcellin Berthelot," LA SCIENCE MODERNE, April, 1927, Paris

Les dangers de la chimie — Boutaric

Ses recherches n'allaient pas sans danger. Au début de sa carrière une explosion qui brisa la cornue dans laquelle il essayait de faire cristalliser le carbone pour obtenir du diamant, lui coupa un œil en deux; par des applications immédiates de glace, son père, qui se trouvait heureusement dans la pièce voisine, réussit à empêcher la perte de la vision; mais l'organe resta toujours affaibli. Au cours de recherches sur l'acide cyanhydrique liquide dont les vapeurs, quand on les respire, causent une mort foudroyante, un ballon plein de ce liquide lui éclata entre les mains. Ses expériences sur les explosifs faillirent lui coûter plusieurs fois la vie. Un jour qu'il en observait les effets au travers de petits trous percés dans une plaque de blindage, un éclat de fer vint par une de ces ouvertures frapper l'œil de son collaborateur qui fut tué sur le coup. Les dangers provenaient parfois de l'imprudence de ses assistants. Un jour entre autres, il arriva au laboratoire juste à temps pour empêcher l'explosion d'une grande quantité de poudre qu'un officier russe, directeur de l'atelier de torpilles de Cronstadt, avait imprudemment laissé chauffer; quelques instants plus tard, le Collège de France allait sauter. Une autre fois, une bouteille d'éther sulfurique se casse et s'enflamme près d'une bonbonne de grosse dimension, également remplie d'éther. Chacun pense à se sauver. Berthelot froidement saisit la bonbonne entre ses bras et la porte dans une pièce voisine.

A. Boutaric, *Marcellin Berthelot*, Payot, Paris

Ferdinand de Lesseps

1805–1894

L'idée d'un canal joignant l'Afrique et l'Asie remonte à l'antiquité. Elle devint un des rêves de Napoléon Ier, mais il faut attendre l'arrivée des Saint-Simoniens et surtout du Père Enfantin (1796–1864), un des chefs de l'École, pour voir apparaître des plans plus concrets. Lesseps avait fait la connaissance d'Enfantin vers 1831 et le plan d'un canal l'impressionna beaucoup. Sous l'impulsion de ce groupe, des savants et des ingénieurs publièrent de nombreux articles sur le percement du canal de Suez dans toutes les revues importantes de l'époque. La chose la plus difficile pourtant était de convaincre Saïd-Pacha, vice-roi d'Égypte; ce fut Ferdinand de Lesseps qui assuma cette mission diplomatique difficile.

Lesseps a conté lui-même la manière curieuse dont il gagna la confiance de son ami d'enfance Saïd-Pacha. Les propres souvenirs de Lesseps sont rapportés par l'auteur du récit que nous allons reproduire.

Le consentement de Saïd-Pacha obtenu, le firman de concession fut signé le 30 novembre 1854. Le premier coup de pioche fut donné le 25 avril 1859 sur le Lido de Port-Saïd. Malgré l'opposition du Foreign Office anglais et en dépit du pessimisme des ingénieurs anglais, Lesseps et Voisin Bey son collaborateur eurent la joie de voir aboutir leur œuvre, et assistèrent à l'inauguration du Canal de Suez le 17 novembre 1869.

La genèse de Suez — Courau

Le nouveau vice-roi d'Égypte, Mohammed Saïd-Pacha, attendait "son ami Lesseps" à Alexandrie; il le reçut avec effusion, lui parlant avec émotion de leurs souvenirs communs.

Le monarque projetait une promenade militaire de grand style: Alexandrie–le Caire, à travers le désert de Libye, à la tête d'une armée de 10.000 hommes. Il demanda à Lesseps de l'accompagner et lui offrit un cheval de grand prix.

Lesseps hésitait pourtant à dévoiler ses projets; il craignait qu'une conversation mal engagée n'aboutît à un refus catégorique du vice-roi, après lequel il serait difficile de revenir sur la question. Et en approchant de l'heure de la réalisation, le grand projet, auquel tant d'autres avant lui avaient renoncé, lui paraissait chimérique; il écrivait d'Alexandrie: "Mon entreprise est encore dans le maquis; [1] tant que je serai seul à la croire possible, ce sera comme si elle était impossible."

Pendant les trois premiers jours de la chevauchée, aux côtés de Saïd-Pacha suivi de son armée, Lesseps maintient la conversation sur des généralités: il exalte la gloire que peuvent apporter à un souverain les grandes œuvres d'utilité publique, surtout s'il a la sagesse d'en confier l'exécution à l'initiative de puissantes compagnies financières. Enfin le 15 novembre 1854, il se décide à aborder auprès du vice-roi la question de Suez. Il nous a laissé le récit de cette journée, dans une longue lettre à Mme Delamalle:

Il est cinq heures du matin, le camp commence à s'animer, la fraîcheur annonce le prochain lever du soleil, quelques rayons de lumière commencent à colorer l'horizon; à ma droite, l'Orient est dans toute sa limpidité, à ma gauche, l'Occident est sombre et nuageux. Tout à coup, je vois apparaître, de ce côté un arc-en-ciel aux plus vives couleurs, dont les deux extrémités plongeaient de l'Ouest à l'Est. J'avoue que j'ai senti mon cœur battre violemment, et que j'ai eu besoin d'arrêter mon imagination qui voyait déjà, dans ce signe d'alliance dont parle l'Écriture, le moment arrivé de la véritable union de l'Occident et de l'Orient, et le jour marqué pour la réussite de mon projet. Le vice-roi m'aide à sortir de mes réflexions, il s'avançait vers moi. Nous nous souhaitons le bonjour par une bonne et chaude poignée de main à la française. Guidé par l'heureux pressentiment de l'arc-en-ciel, j'espérais que la journée ne se passerait pas sans une décision, au sujet du percement de l'Isthme de Suez.

Le vice-roi me dit qu'il a le projet de faire ce matin une partie de la promenade dont je lui avais parlé la veille, afin de voir, des hauteurs, toutes les dispositions de son camp. Nous montons à cheval, précédés de deux lanciers, et suivis de l'état-major. Arrivé à un point culminant, dont le sol, parsemé de pierres, signalait d'anciennes constructions, le vice-roi fait élever, par ses chasseurs, un parapet circulaire, formé de pierres ramassées sur le sol. On pratique une embrasure, et l'on y place un canon qui salue le reste des troupes arrivant d'Alexandrie. * * *

Il est dix heures et demie; le vice-roi ayant déjeuné avant la promenade, je vais en faire autant. En quittant le vice-roi, je veux lui montrer que son cheval, dont j'ai éprouvé les solides jarrets pendant ma première journée de voyage, est un sauteur de première force; tout en le saluant, je fais franchir d'un bond le parapet de pierre par mon "Anézé," et je continue mon galop sur le penchant de la colline jusqu'à ma tente. Vous verrez que cette imprudence a peut-être été une des causes de l'approbation donnée à mon projet par l'entourage du vice-roi, approbation qui était nécessaire. Les généraux, qui sont venus partager mon déjeuner, m'ont fait compliment, et j'ai remarqué que ma hardiesse m'avait considérablement grandi dans leur estime.

A cinq heures du soir, je remonte à cheval et je retourne dans la tente du vice-roi, escaladant de nouveau le parapet dont je viens de parler. Le vice-roi était gai et souriant: il me prend par la main, qu'il garde un instant dans la sienne, et me fait asseoir sur son divan à côté de lui. Nous étions seuls; l'ouverture de la tente nous laissait voir le beau coucher de ce soleil dont le lever m'avait si fort ému le matin. Je me sentais fort de mon calme et de ma tranquillité, dans un moment où j'allais aborder une question bien décisive pour mon avenir. Mes études et mes réflexions sur le canal des deux mers se présentaient clairement dans mon esprit, et l'exécution me semblait si réalisable que je ne doutais pas de faire passer ma conviction dans l'esprit du prince. J'exposai mon projet, sans entrer dans les détails, en

Henri Poincaré

1854–1912

Henri Poincaré   Andoyer et Humbert

"Il était vraiment le cerveau vivant des sciences rationnelles . . . , le seul homme dont la pensée fût capable de faire tenir en elle toutes les autres pensées, de comprendre jusqu'au fond, et par une sorte de découverte renouvelée, tout ce que la pensée humaine peut 5 aujourd'hui comprendre." Ces mots d'un de ses confrères, au lendemain de sa mort inattendue (1912), résument l'admiration des milieux scientifiques français et étrangers pour ce savant considéré par tous comme un maître incontesté. Né à Nancy en 1854, entré 10 premier à l'École polytechnique malgré un zéro de dessin et une inaptitude semblable pour les exercices physiques, Poincaré est mis, à vingt-sept ans, sur les listes de candidature à l'Académie des sciences, y entre à trente-deux ans dans la section de Géométrie—capable, 15 suivant la remarque de Darboux, de figurer aussi bien dans les quatre autres sections de la division des sciences mathématiques, Mécanique, Astronomie, Géographie et Navigation, Physique, — publie trente volumes et près

de cinq cents mémoires, est membre de l'Académie française, de quarante académies ou sociétés savantes de tous les pays, force enfin, par des articles et des ouvrages de philosophie scientifique, rapidement populaires
5 et souvent mal compris, l'admiration du grand public, pour qui il incarne cet être supérieur et distrait qu'est "le mathématicien."

G. Hanotaux, HISTOIRE DE LA NATION FRANÇAISE, Librairie Plon, Paris: Volume XIV, *Histoire des sciences en France*

Mes souvenirs de Henri Poincaré

d'Ocagne

J'ai même noté un petit détail assez amusant: fréquemment au cours de ses soliloques dont je n'étais
10 que l'auditeur recueilli, je voyais Poincaré soulever son chapeau. M'imaginant que cela tenait à ce qu'il apercevait, parmi les promeneurs que nous rencontrions, quelque personne de sa connaissance, je m'empressais de l'imiter jusqu'au jour où la répétition du même geste
15 dans une allée où nous nous trouvions absolument seuls me fit comprendre qu'il ne s'agissait là que d'une sorte de tic, et nullement de l'accomplissement d'un devoir de politesse. On eût dit qu'il ressentait de temps en temps le besoin de rafraîchir un peu sa tête, dans laquelle
20 bouillonnaient sans cesse tant de prodigieuses pensées.

* * *

Au commencement du mois d'août 1889, l'Association française pour l'avancement des sciences tenait à

Paris son congrès annuel qui, à l'occasion de l'Exposition universelle, avait pris l'allure d'un congrès international. Poincaré y présidait la première section consacrée aux sciences mathématiques, et j'en étais le secrétaire. Je me trouvais donc assis à ses côtés lorsque, à la séance inaugurale tenue dans le grand amphithéâtre de l'École des Ponts et Chaussées, un délégué parlant au nom de tous les étrangers présents, adressa à Poincaré (qui venait de triompher avec la supériorité que l'on sait, dans le fameux tournoi [1] international de mathématiques, institué par le roi Oscar II de Suède) un compliment d'une forme parfaite, en le saluant, suivant l'aveu de tous les mathématiciens du monde, du titre de *Princeps mathematicorum*. Glissant un regard furtif du côté de Poincaré, je m'étais aperçu sans peine qu'il avait bel et bien fui dans la lune. La péroraison de l'orateur ayant été saluée d'un tonnerre d'applaudissements, accompagné même de vibrantes acclamations, tout ce bruit fit retomber notre président sur la terre. Il eut alors la notion de la démonstration qui se déroulait dans la salle, crut qu'elle s'adressait à l'orateur et se mit, dès lors, en devoir de joindre ses applaudissements à ceux de l'assemblée. Je n'eus que le temps, en arrêtant vivement son geste, de lui glisser dans l'oreille: "Prenez garde. C'est vous qu'on applaudit."

Maurice d'Ocagne, *Souvenirs et causeries*, Librairie Plon, Paris

La conception du hasard de Poincaré

Matisse

Laplace a écrit cette formule célèbre: "Le hasard est l'expression de notre ignorance."

C'est peut-être la définition du hasard la plus profonde qui ait été donnée. Selon lui, pour une intelligence assez vaste pour pouvoir embrasser dans tous ses détails l'Univers et ses lois, il n'y aurait pas de hasard. Tout apparaîtrait comme la conséquence nécessaire de phénomènes antérieurs. L'absolu déterminisme de l'Univers apparaîtrait simple et évident à la pensée d'un tel être. Il n'y a de hasard, pour nous, que parce que nous ne saisissons pas avec une pénétration suffisante le déterminisme inexorable des phénomènes. Le hasard est une pure illusion due à la faiblesse de notre esprit.

Cette conception ne satisfait pas complètement Poincaré. Il lui semble qu'il y a dans ce que nous appelons des phénomènes fortuits, des caractères spécifiques qui n'ont pas été suffisamment mis en lumière par Laplace. Car, dit-il, si un physicien qui étudie un phénomène découvre sa loi mardi, dira-t-il lundi que ce phénomène est dû au hasard? Bien plus, ne parle-t-on pas souvent des "*lois du hasard*"?

Si hasard est vraiment synonyme d'ignorance, dirons-nous lorsque nous établissons les lois de Boyle-Mariotte [2] et de Gay-Lussac [3] au moyen de la théorie cinétique et du calcul des probabilités: si je connaissais les lois selon lesquelles les vitesses des molécules varient et sont distribuées, et les trajectoires suivies par ces molécules, je serais absolument incapable d'établir aucun résultat, le problème étant beaucoup trop compliqué pour que je fusse capable d'effectuer les calculs nécessaires. Mais, par bonheur, je ne sais absolument rien de tout cela, et cette circonstance va me permettre de découvrir quelque chose. 5

"Il faut donc bien, dit Poincaré, que le hasard soit autre chose que le nom que nous donnons à notre ignorance, que, parmi les phénomènes dont nous ignorons les causes, nous devions distinguer les phénomènes fortuits sur lesquels le calcul des probabilités nous ren- 10 seignera provisoirement, et ceux qui ne sont pas fortuits et sur lesquels nous ne pouvons rien dire tant que nous n'aurons pas déterminé les lois qui les régissent."

Il ne faut pas oublier que Poincaré est un physico-mathématicien. Il regarde les choses et considère les 15 questions du hasard un peu trop, peut-être, en pensant aux théories cinétiques des gaz et des autres phénomènes que l'on peut ramener au calcul des probabilités et qui ne constituent qu'une petite classe. La théorie de Poincaré est très originale et ingénieuse, mais 20 sans doute incomplète.

Pour Poincaré, le hasard consiste dans la disproportion entre la grandeur de la cause et celle de l'effet: la cause est infinitésimale, comparée à la grandeur de l'événement résultant. Les phénomènes qui nous semblent 25 arriver par hasard peuvent encore provenir d'une autre source: ils peuvent se produire comme résultats de causes entièrement compliquées.

Examinons quelques exemples.

Supposons qu'un cône de bois soit placé sur sa pointe, 30 son axe étant vertical. Il est en état d'équilibre instable et va tomber. Mais de quel côté tombera-t-il? Nous l'ignorons. Cela dépendra d'une imperceptible dissymétrie de sa forme, ou d'une minime différence de densité du bois, ou d'une très légère inégalité de la pression atmosphérique ou d'un infime courant d'air. Cette cause infinitésimale changera la direction suivant laquelle le cône tombera de, peut-être, 150°. L'effet est remarquable à cause de sa grandeur tandis que la cause est imperceptible.

Prenons maintenant le jeu de la roulette. Une aiguille tourne autour d'un axe et se déplace devant un cadran divisé en cent secteurs, alternativement rouges et noirs. Si elle s'arrête en face d'un secteur rouge, j'ai gagné; dans le cas contraire, j'ai perdu. Le destin, pour moi, dépendra de l'impulsion initiale. L'aiguille va décrire, disons, 20 tours complets et une fraction de tour. Mais il suffit que la force de l'impulsion varie d'une quantité infinitésimale, imperceptible au sens musculaire, pour changer le secteur et modifier ma fortune: alors, pendant que l'aiguille tourne, je me sens anxieux et j'attribue tout au hasard.

Si donc nous revenons à la théorie de Laplace d'après laquelle les phénomènes de l'Univers sont régis par un immense système d'équations différentielles, les phénomènes résultants dépendent non seulement des lois qu'expriment ces équations différentielles, mais encore des conditions initiales du système matériel. Ces conditions initiales ne sont *connues qu'approximativement*. Si cette connaissance nous permet de prévoir l'état ultérieur *avec la même approximation*, nous disons que le phénomène peut être prévu et qu'il obéit à des lois. Mais il arrive que de légères différences dans les causes initiales engendrent de grosses différences dans le résultat final: la prévision devient impossible et nous avons un phénomène fortuit.

Il en est de même lorsque les causes sont extrêmement nombreuses et compliquées.

Examinons, par exemple, le cas d'un gaz contenu dans un vase. Une molécule vole dans une certaine direction, mais, immédiatement, elle se heurte contre une autre molécule et cela change sa direction. Puis, elle rencontre une seconde molécule et une troisième ou bien elle vient frapper la paroi du vase. Toutes ces causes multiples et compliquées — même si elles n'avaient qu'une influence perturbatrice minime sur la trajectoire de la molécule (ce qui n'est pas le cas) — produiraient, par leur nombre, une altération énorme de la trajectoire initiale, sans connexion simple avec elle. * * *

"Les événements qui constituent l'histoire, dit-il, présentent une situation en tous points semblable. Les historiens ne peuvent relater tous les faits; ils sont contraints de choisir ceux qui leur paraissent importants. Mais si un grand événement du XVIIe siècle a pour cause un petit événement du XVIe dont ne parle aucun ouvrage d'histoire, qui a été méconnu ou négligé par tout le monde, on dit que cet événement est dû au hasard. Ce mot a donc la même signification que dans les sciences physiques: à savoir, que de petites choses ont produit de grands effets."

Georges Matisse, LE MOUVEMENT SCIENTIFIQUE CONTEMPORAIN EN FRANCE, Payot, Paris: Volumes III–IV, *Les Sciences physico-chimiques et mathématiques*

Ce qu'il y avait de plus paradoxal dans la thèse de M. Le Roy, c'était cette affirmation que *le savant crée le fait;*[4] c'en était en même temps le point essentiel et c'est un de ceux qui ont été le plus discutés.

5 Peut-être, dit-il (je crois bien que c'était là une concession), n'est-ce pas le savant qui crée le fait brut; c'est du moins lui qui crée le fait scientifique.

Cette distinction du fait brut et du fait scientifique ne me paraît pas illégitime par elle-même. Mais je me 10 plains d'abord que la frontière n'ait été tracée ni d'une manière exacte, ni d'une manière précise; et ensuite que l'auteur ait semblé sous-entendre que le fait brut, n'étant pas scientifique, est en dehors de la science.

Enfin je ne puis admettre que le savant crée librement 15 le fait scientifique puisque c'est le fait brut qui le lui impose.

Les exemples donnés par M. Le Roy m'ont beaucoup étonné. Le premier est emprunté à la notion d'atome. L'atome choisi comme exemple de fait! j'avoue que ce 20 choix m'a tellement déconcerté que je préfère n'en rien dire. J'ai évidemment mal compris la pensée de l'auteur et je ne saurais la discuter avec fruit.

Le second cas pris pour exemple est celui d'une éclipse où le phénomène brut est un jeu d'ombre et de lumière, 25 mais où l'astronome ne peut intervenir sans apporter deux éléments étrangers, à savoir une horloge et la loi de Newton.

Enfin M. Le Roy cite la rotation de la Terre; on lui a répondu: mais ce n'est pas un fait, et il a répliqué:

c'en était un pour Galilée qui l'affirmait comme pour l'inquisiteur qui le niait. Toujours est-il que ce n'est pas un fait au même titre que ceux dont nous venons de parler et que leur donner le même nom, c'est s'exposer à bien des confusions.

Voilà donc quatre degrés:

(1) Il fait noir, dit l'ignorant.

(2) L'éclipse a eu lieu à neuf heures, dit l'astronome.

(3) L'éclipse a eu lieu à l'heure que l'on peut déduire des tables construites d'après les lois de Newton, dit-il encore.

(4) Cela tient à ce que la terre tourne autour du soleil, dit enfin Galilée.

Où est donc la frontière entre le fait brut et le fait scientifique? A lire M. Le Roy on croirait que c'est entre le premier et le deuxième échelon, mais qui ne voit qu'il y a plus de distance du deuxième au troisième, et plus encore du troisième au quatrième.

Qu'on me permette de citer deux exemples qui nous éclaireront peut-être un peu.

J'observe la déviation d'un galvanomètre à l'aide d'un miroir mobile qui projette une image lumineuse ou spot sur une échelle divisée. Le fait brut c'est: je vois le spot se déplacer sur l'échelle et le fait scientifique c'est: il passe un courant dans le circuit.

Ou bien encore: quand je fais une expérience, je dois faire subir au résultat certaines corrections, parce que je sais que j'ai dû commettre des erreurs. Ces erreurs sont de deux sortes, les unes sont accidentelles et je les corrigerai en prenant la moyenne; les autres sont systématiques et je ne pourrai les corriger que par une étude approfondie de leurs causes.

Le premier résultat obtenu est alors le fait brut, tandis que le fait scientifique c'est le résultat final après les corrections terminées.

En réfléchissant à ce dernier exemple, nous sommes conduits à subdiviser notre second échelon, et au lieu de dire: (2) L'éclipse a eu lieu à neuf heures, nous dirons: (2) *a*. L'éclipse a eu lieu quand mon horloge marquait neuf heures, et (2) *b*. Ma pendule retardant de dix minutes, l'éclipse a eu lieu à neuf heures dix.

Et ce n'est pas tout: le premier échelon aussi doit être subdivisé, ce n'est pas entre ces deux subdivisions que la distance sera la moins grande; entre l'impression d'obscurité que ressent le témoin d'une éclipse, et l'affirmation: il fait noir, que cette impression lui arrache, il est nécessaire de distinguer. En un sens c'est la première qui est le seul vrai fait brut, et la seconde est déjà une sorte de fait scientifique.

Voilà donc maintenant notre échelle qui a six échelons, et bien qu'il n'y ait aucune raison pour s'arrêter à ce chiffre, nous nous y tiendrons.

Ce qui me frappe d'abord, c'est ceci. Au premier de nos six échelons, le fait, encore complètement brut, est pour ainsi dire individuel, il est complètement distinct de tous les autres faits possibles. Dès le second échelon, il n'en est déjà plus de même. L'énoncé du fait pourrait convenir à une infinité d'autres faits. Aussitôt qu'intervient le langage, je ne dispose plus que d'un nombre fini de termes pour exprimer les nuances en nombre infini que mes impressions pourraient revêtir. Quand je dis: il fait noir, cela exprime bien les impressions que j'éprouve en assistant à une éclipse; mais dans l'obscurité même, on pourrait imaginer une foule de nuances, et si au lieu de celle qui s'est réalisée effectivement, c'eût été une nuance peu différente qui se fût produite,[5] j'aurais cependant encore énoncé cet *autre* fait en disant: il fait noir.

Seconde remarque: même au second échelon, l'énoncé d'un fait ne peut être que *vrai* ou *faux*. Il n'en serait pas de même pour une proposition quelconque; si cette proposition est l'énoncé d'une convention, on ne peut pas dire que cet énoncé soit *vrai*, au sens propre du mot, puisqu'il ne saurait être vrai malgré moi et qu'il est vrai seulement parce que je veux qu'il le soit.

Quand je dis, par exemple, l'unité de longueur est le mètre, c'est un décret que je porte, ce n'est pas une constatation qui s'impose à moi. Il en est de même, comme je crois l'avoir montré ailleurs, quand il s'agit du postulatum d'Euclide.

Quand on me demande: fait-il noir? je sais toujours si je dois répondre oui ou non.

Bien qu'une infinité de faits possibles soient susceptibles de ce même énoncé: il fait noir, je saurai toujours si le fait réalisé rentre ou ne rentre pas parmi ceux qui répondent à cet énoncé. Les faits sont classés en catégories, et si l'on me demande si le fait que je constate rentre ou ne rentre pas dans telle catégorie, je n'hésiterai pas.

Sans doute cette classification comporte assez d'arbitraire pour laisser à la liberté ou au caprice de l'homme une large part. En un mot, cette classification est une convention. *Cette convention étant donnée*, si l'on me demande: tel fait est-il vrai? je saurai toujours que répondre,[6] et ma réponse me sera imposée par le témoignage de mes sens.

Si donc pendant une éclipse, on demande: fait-il noir? tout le monde répondra oui. Sans doute ceux-là répondraient non qui parleraient une langue où clair se dirait noir et où noir se dirait clair. Mais quelle 5 importance cela peut-il avoir?

De même, en mathématiques, *quand j'ai posé les définitions, et les postulats qui sont des conventions*, un théorème ne peut plus être que vrai ou faux. Mais pour répondre à cette question: ce théorème est-il vrai? ce 10 n'est plus au témoignage de mes sens que j'aurai recours, mais bien au raisonnement.

L'énoncé d'un fait est toujours vérifiable et pour la vérification nous avons recours soit au témoignage de nos sens, soit au souvenir de ce témoignage. C'est là 15 proprement ce qui caractérise un fait. Si vous me posez la question: tel fait est-il vrai? je commencerai par vous demander, s'il y a lieu, de préciser les conventions, par vous demander, en d'autres termes, quelle langue vous avez parlée; puis une fois fixé sur ce point, j'interrogerai 20 mes sens et je répondrai, oui ou non. Mais la réponse, ce seront mes sens qui l'auront faite, ce ne sera pas *vous* en me disant: c'est en anglais ou c'est en français que je vous ai parlé.

Y a-t-il quelque chose à changer à tout cela quand 25 nous passons aux échelons suivants? Quand j'observe un galvanomètre, ainsi que je le disais tout à l'heure, si je demande à un visiteur ignorant: le courant passe-t-il? il va regarder le fil pour tâcher d'y voir passer quelque chose; mais si je pose la même question à mon aide qui 30 comprend ma langue, il saura que cela veut dire: le spot se déplace-t-il? et il regardera sur l'échelle.

Quelle différence y a-t-il alors entre l'énoncé d'un fait

brut et l'énoncé d'un fait scientifique? Il y a la même différence qu'entre l'énoncé d'un même fait brut dans la langue française et dans la langue allemande. L'énoncé scientifique est la traduction de l'énoncé brut dans un langage qui se distingue surtout de l'allemand vulgaire ou du français vulgaire parce qu'il est parlé par un bien moins grand nombre de personnes.

N'allons pas trop vite cependant. Pour mesurer un courant, je puis me servir d'un très grand nombre de types de galvanomètres ou encore d'un électrodynamomètre.[7] Et alors quand je dirai: il règne dans ce circuit un courant de tant d'ampères, cela voudra dire: si j'adapte à ce circuit tel galvanomètre, je verrai le spot venir à la division *a*; mais cela voudra dire également: si j'adapte à ce circuit tel électrodynamomètre, je verrai le spot venir à la division *b*. Et cela voudra dire encore beaucoup d'autres choses, car le courant peut se manifester non seulement par des effets mécaniques, mais par des effets chimiques, thermiques, lumineux, etc.

Voilà donc un même énoncé qui convient à un très grand nombre de faits absolument différents. Pourquoi? C'est parce que j'admets une loi d'après laquelle toutes les fois que tel effet mécanique se produira, tel effet chimique se produira de son côté. Des expériences antérieures très nombreuses ne m'ont jamais montré cette loi en défaut et alors je me suis rendu compte que je pourrais exprimer par le même énoncé deux faits aussi invariablement liés l'un à l'autre.

Quand on me demandera: le courant passe-t-il? je pourrai comprendre que cela veut dire: tel effet mécanique va-t-il se produire? mais je pourrai comprendre aussi: tel effet chimique va-t-il se produire? Je vérifierai donc soit l'existence de l'effet mécanique, soit celle de l'effet chimique, cela sera indifférent, puisque dans un cas comme dans l'autre la réponse doit être la même.

5 Et si la loi venait un jour à être reconnue fausse? Si on s'apercevait que la concordance des deux effets mécanique et chimique n'est pas constante? Ce jour-là, il faudrait changer le langage scientifique pour en faire disparaître une grave ambiguïté.

10 Et puis après? Croit-on que le langage ordinaire, à l'aide duquel on exprime les faits de la vie quotidienne, soit exempt d'ambiguïté? * * *

CONCLUSIONS

1. *Le fait scientifique n'est que le fait brut traduit dans un langage commode . . .*

15 2. *Tout ce que crée le savant dans un fait, c'est le langage dans lequel il l'énonce . . .*

3. *Il n'y a pas de frontière précise entre le fait brut et le fait scientifique; on peut dire seulement que tel énoncé de fait est* plus brut *ou, au contraire,* plus scientifique *que tel autre.*

Henri Poincaré, *La Valeur de la science*, Librairie Ernest Flammarion, Paris

Joseph Bertrand

1822–1900

Joseph Bertrand,[1] examinateur — d'Ocagne

Sa carrière de professeur ou d'examinateur lui avait aussi laissé des souvenirs qu'il évoquait de plaisante façon. Je lui ai ainsi entendu raconter l'aventure du candidat mal préparé qui, sur le point de passer devant lui l'examen d'admission à l'École polytechnique, et prévoyant l'effet produit par ses réponses sur son père, dont il redoutait la sévérité, et qui devait venir assister à son examen, était venu tout bonnement le prier de lui dire d'avance deux des questions qu'il lui poserait: "Cela me permettra, ajoutait-il, de ne pas faire montre, aux yeux de mon père, d'une complète nullité. Vous aurez d'ailleurs, Monsieur, le choix d'autres questions avec lesquelles il vous sera facile de me couler. Je n'ai d'ailleurs aucun désir d'être reçu à l'École où je ne me présente que pour obéir à l'impérieuse volonté de mon père." Cette façon originale de tenter d'échapper à un sort qui s'annonçait comme funeste ne déplut pas à Joseph Bertrand, naturellement porté à goûter ce qui s'offrait avec un caractère tant soit peu [2] paradoxal;

il convint avec le jeune homme des questions destinées à parer aux effets redoutés de la mauvaise humeur paternelle. Mais le jour de l'examen, le candidat fit montre, sur ces questions mêmes, d'une lamentable ignorance,
5 et, en repassant devant l'examinateur, après avoir quitté le tableau noir, il lui glissa dans l'oreille: "Vous avez été bien aimable, Monsieur, et je vous en remercie, mais mon père s'est trouvé empêché de venir assister à mon examen." Et Joseph Bertrand attendait que ses
10 auditeurs se fussent suffisamment divertis de cet épilogue inattendu pour ajouter:

"Je n'ai jamais oublié le nom de ce candidat, et je l'ai depuis lors retrouvé à l'Académie française . . . il s'appelait Henri Meilhac."

Maurice d'Ocagne, *Souvenirs et causeries*, Librairie Plon, Paris

Pierre et Marie Curie

1859–1906 1867–1934

Marie Sklodowska naquit à Varsovie le 7 novembre 1867. Son père était professeur de mathématiques et de physique au lycée; sa mère dirigeait une école de jeunes filles. En 1891 elle partit pour Paris pour suivre des cours de sciences à la Sorbonne. Elle passa sa "Licence ès [1] Sciences Physiques" en 1893, sa "Licence ès Sciences Mathématiques" en 1894. Cette année-là elle rencontra Pierre Curie, qui était un spécialiste en minéralogie, et les deux savants devinrent de bons amis. En 1895 Pierre Curie lui demanda sa main et, après quelque hésitation, elle décida de s'exiler de son pays natal et de devenir Madame Curie. Leur vie en commun est une idylle d'amour, mais elle est surtout l'histoire de deux savants qui s'engagent dans une lutte tenace pour découvrir les secrets de la radioactivité. Le 18 juillet 1898 ils annoncèrent au monde l'existence d'une nouvelle substance radioactive renfermant un élément nouveau auquel ils donnèrent le nom de radium. Et en 1902, après un effort herculéen de quarante-cinq mois, ils réussirent à préparer un décigramme de radium pur. En 1903 le prix Nobel de physique fut attribué à Henri Becquerel, à Pierre et à Marie Curie. Ce fut la gloire pour les deux inconnus. On nomma Pierre professeur à la Sorbonne et on créa une chaire spéciale pour lui: Physique et Radioactivité. Mais quand on voulut lui donner la Légion d'honneur, Pierre refusa en disant: "Je n'éprouve pas du tout le désir d'être décoré, mais j'ai le plus grand besoin d'avoir un laboratoire." Ce laboratoire, il ne l'eut jamais, car en 1906 Marie perdit son compagnon et le monde perdit un grand homme. Marie Curie elle-même mourut en 1934.

Pierre Curie, mon mari — Curie

Il est utile de comprendre combien une pareille vie représente de sacrifice. La vie du grand savant dans son laboratoire n'est pas comme beaucoup peuvent le croire une idylle paisible; elle est plus souvent une lutte
5 opiniâtre livrée aux choses, à l'entourage et surtout à soi-même. Une grande découverte ne jaillit pas du cerveau du savant tout achevée, comme Minerve surgit tout équipée de la tête de Jupiter; elle est le fruit d'un labeur préliminaire accumulé. Entre des journées de
10 production féconde viennent s'intercaler des journées d'incertitude où rien ne semble réussir, où la matière elle-même semble hostile, et c'est alors qu'il faut résister au découragement. Et sans jamais se départir de sa patience inlassable, Pierre Curie me disait parfois:
15 "Elle est pourtant dure, la vie que nous avons choisie."

Mme Pierre Curie, *Pierre Curie*, Payot, Paris

Madame Curie — Hesse

Ainsi Mme Curie se trouvait veuve à trente-neuf ans, avec deux petites filles, au moment où, délivrée des soucis matériels, elle pouvait espérer couler des jours heureux, consacrés à la science et à l'amour. Elle avait été longtemps à l'école de la pauvreté. Avant son mariage, pendant quatre ans, elle avait occupé une mansarde qui, a-t-elle écrit, était si froide en hiver et si mal chauffée par un petit poêle dans lequel le charbon manquait souvent, qu'il n'était pas rare que l'eau gelât la nuit dans une cuvette. Dans la même chambre, elle préparait ses repas à l'aide d'une lampe à alcool, se contentant souvent de pain, d'une tasse de chocolat, d'œufs, ou de fruits.

Après son mariage, pendant trois ans, elle avait habité un petit logement de la rue de la Glacière, où elle faisait le ménage et la cuisine avant d'aller, au laboratoire, brasser, à l'aide d'une tige de fer, dans des marmites de terre ou de fonte, les produits qu'elle analysait avec son mari.

A la naissance d'Irène Curie, en 1897, la vie s'était compliquée encore. Elle avait abandonné la rue de la Glacière pour le boulevard Kellermann. C'est là qu'un soir de printemps on lui avait rapporté son mari sans vie.[2] Tout s'écroulait. Elle ne perdait pas seulement le compagnon, mais l'ami spirituel, le savant avec lequel elle avait travaillé sans compter. Pourrait-elle continuer seule les recherches au laboratoire? Aurait-elle le temps et les ressources nécessaires? Aurait-elle même un laboratoire?

Heureusement, la voix du monde scientifique s'éleva unanime. "Il faut que cette femme dont le génie fut égal à celui de Curie ait les moyens de poursuivre les travaux commencés. Il faut qu'on mette à sa disposition un laboratoire comme ceux que possèdent les maîtres de la Sorbonne. Le plus beau monument qu'on puisse élever à la mémoire de Curie sera celui que lui érigera sa propre femme continuant son œuvre."

Le ministre fit mieux que de lui donner un laboratoire. Il la nomma, à la place de son mari, professeur à la
5 Faculté des Sciences de Paris. C'était la première femme admise à l'honneur de professer à la Sorbonne.

Le 6 novembre 1906, à une heure et demie, Mme Curie fit son premier cours à la Sorbonne.

Vêtue d'une très sévère robe noire, très émue, très pâle,
10 elle entra dans l'amphithéâtre, débordant de foule, se plaça devant la longue table chargée des appareils pour les expériences et, ne saluant que légèrement, d'une brève et sèche inclinaison de tête, commença immédiatement à exposer la théorie des ions, d'une voix un peu
15 monotone, avec une pointe d'accent donnant à sa diction une originalité qui n'était pas sans charme. Puis elle aborda les développements qui lui sont familiers sur les corps radioactifs, exposant plus particulièrement la théorie nouvelle de la désintégration atomique. Après
20 son exposé, elle se retira, toute droite, toute simple, plus émue encore qu'à l'arrivée.

Jean Hesse, *Madame Curie*, Les Éditions Denoël, Paris

Quatre années dans un hangar — Curie

Ne pourrait-on, tout au moins, trouver dans un des nombreux bâtiments qui dépendent de la Sorbonne un local de travail convenable et le prêter aux Curie? Il
25 paraît que non! Après de vaines démarches, Pierre et Marie reviennent, bredouilles, à leur point de départ,

c'est-à-dire à l'École de Physique où enseigne Pierre, au petit atelier qui abrita les premiers essais de Marie. L'atelier donne sur une cour et, de l'autre côté de la cour, il y a une baraque de bois, un hangar abandonné dont le toit vitré est en si triste état qu'il laisse passer la pluie. Jadis, la Faculté de Médecine utilisait ce réduit comme salle de dissection, mais depuis bien longtemps l'endroit n'a même plus été jugé digne d'héberger des cadavres. Pas de plancher: une vague couche de bitume couvre le sol. Comme mobilier, quelques tables de cuisine vétustes, un tableau noir qui a échoué là on ne sait pourquoi, et un vieux poêle de fonte, au tuyau rouillé.

Un ouvrier ne travaillerait pas volontiers en un pareil lieu. Marie et Pierre s'y résignent pourtant. Le hangar a un avantage: il est si peu tentant, si misérable, que personne ne songe à leur en refuser la libre disposition. Le directeur de l'École, Schutzenberger, a constamment témoigné à Pierre Curie de la bienveillance et il regrette, sans doute, de n'avoir pas mieux à lui offrir. Toujours est-il qu'il ne lui offre rien d'autre, et que les époux, bien contents de n'être pas sur le pavé avec leur matériel, remercient, disent "que cela fera l'affaire, qu'ils s'arrangeront."

Tandis qu'ils prennent possession de ce domaine, une réponse leur parvient d'Autriche. Bonnes nouvelles! Par extraordinaire, les résidus des récentes extractions d'uranium n'ont pas été dispersés. La matière inutile a été entassée dans un terrain vague, planté de pins, qui borde la mine de Saint-Joachimsthal. Grâce à l'intervention du professeur Suess et de l'Académie des Sciences de Vienne, le gouvernement autrichien, qui est le propriétaire de cette usine d'État, a décidé de mettre *gracieusement* une tonne de résidus à la disposition des deux lunatiques qui prétendent en avoir besoin. Si ceux-ci désirent recevoir ensuite une quantité plus grande de matière, elle leur sera cédée par la mine aux conditions les meilleures.

Un matin, une lourde voiture à chevaux, semblable à celles qui transportent le charbon, s'arrête rue Lhomond, devant l'École de Physique. On prévient Pierre et Marie. Ils se précipitent au dehors, nu-tête, en tabliers de laboratoire. Pierre garde son calme habituel mais Marie, à la vue des sacs que déchargent les hommes de peine, ne peut contenir sa joie. C'est la pechblende, *sa* pechblende, dont, il y a quelques jours, un avis de la gare de marchandises avait annoncé l'arrivée! Toute fébrile de curiosité et d'impatience, elle veut, sans attendre, ouvrir un des sacs et contempler son trésor. Elle coupe les ficelles, déplie la toile grossière. Elle plonge ses deux mains dans le minerai brun et terne auquel des aiguilles de pins de Bohême sont restées mêlées.

C'est là que se cache le radium. C'est de là que Marie va l'extraire, dût-elle [3] traiter une montagne de cette chose inerte, qui ressemble à la poussière des chemins.

Ève Curie, *Madame Curie*, Librairie Gallimard, Paris

Le brevet Curie

Quelque temps avant cette soutenance de thèse,[4] et avant que ne se développât, en France et à l'étranger, le traitement industriel du radium, les Curie ont pris une décision à laquelle ils attachent fort peu d'importance mais qui influera grandement sur le reste de leur vie.

En purifiant la pechblende, en isolant le radium, Marie a inventé une technique et créé un procédé de fabrication.

Or, depuis que les effets thérapeutiques du radium sont connus, l'on recherche partout les minerais radioactifs. Des exploitations sont en projet dans plusieurs pays, particulièrement en Belgique et en Amérique. Toutefois, les usines ne pourront produire le "fabuleux métal" que lorsque leurs ingénieurs connaîtront le secret de la préparation du radium pur.

Ces choses, Pierre les expose à sa femme, un dimanche matin, dans la petite maison du boulevard Kellermann. Tout à l'heure, le facteur a apporté une lettre venant des États-Unis. Le savant l'a lue attentivement, l'a repliée et posée sur son bureau.

— Il faut que nous parlions un peu de notre radium, dit-il d'un ton paisible. Son industrie va prendre une grande extension, c'est maintenant certain. Voici, justement, un pli de Buffalo: des techniciens désireux de créer une exploitation en Amérique me prient de les documenter.

— Alors? dit Marie, qui ne prend pas un vif intérêt à la conversation.

— Alors nous avons le choix entre deux solutions. Décrire sans aucune restriction les résultats de nos recherches, y compris les procédés de purification . . .

Marie a un geste d'approbation, et elle murmure:

— Oui, naturellement.

— Ou bien, continue Pierre, nous pouvons nous considérer comme les propriétaires, les "inventeurs" du radium. Dans ce cas, avant de publier de quelle manière tu as opéré pour traiter la pechblende, il faudrait breveter cette technique et nous assurer des droits sur la fabrication du radium dans le monde.

Il fait effort pour préciser, d'une façon objective, la situation. Ce n'est pas sa faute si, en prononçant des mots qui lui sont peu familiers: "breveter," "nous assurer des droits," sa voix a eu une inflexion de mépris, à peine perceptible.

Marie réfléchit pendant quelques secondes. Puis elle dit:

— C'est impossible. Ce serait contraire à l'esprit scientifique.

Par acquit de conscience, Pierre insiste:

— Je le pense . . . mais je ne veux pas que nous prenions cette décision à la légère. Notre vie est dure — elle menace de l'être toujours. Et nous avons une fille . . . peut-être aurons-nous d'autres enfants. Pour eux, pour nous, ce brevet représenterait beaucoup d'argent, la richesse. Ce serait le confort assuré, la suppression des besognes . . .

Il mentionne encore, avec un petit rire, la seule chose à laquelle il lui soit cruel de renoncer:

— Nous pourrions avoir, aussi, un beau laboratoire.

Les yeux de Marie se fixent. Elle considère posément l'idée du gain, de la récompense matérielle. Presqu'aussitôt elle la rejette:

— Les physiciens publient toujours intégralement leurs recherches. Si notre découverte a un avenir commercial, c'est là un hasard dont nous ne saurions profiter.[5] Et le radium va servir à soigner des malades . . . Il me paraît impossible d'en tirer un avantage.

Elle n'essaie nullement de convaincre son mari. Elle devine qu'il n'a parlé du brevet que par scrupule. Les mots qu'elle prononce avec une entière sûreté expriment leur sentiment à tous deux, leur infaillible conception du rôle de savant.

Dans un silence, Pierre répète, comme un écho, la phrase de Marie:

— Non . . . ce serait contraire à l'esprit scientifique.

Il est soulagé. Il ajoute, comme s'il réglait une question de détail:

— J'écrirai donc ce soir aux ingénieurs américains en leur donnant les renseignements qu'ils demandent.

"D'accord avec moi, écrira Marie vingt ans plus tard, Pierre Curie renonça à tirer un profit matériel de notre découverte: nous n'avons pris aucun brevet et nous avons publié sans aucune réserve les résultats de nos recherches, ainsi que les procédés de préparation du radium. Nous avons, de plus, donné aux intéressés tous les renseignements qu'ils sollicitaient. Cela a été un grand bienfait pour l'industrie du radium, laquelle a pu se développer en toute liberté, d'abord en France, puis à l'Étranger, fournissant aux savants et aux médecins les produits dont ils avaient besoin. Cette industrie utilise d'ailleurs encore aujourd'hui presque sans modification les procédés que nous avions indiqués."

Ève Curie, *Madame Curie*, Librairie Gallimard, Paris

La découverte de la radioactivité et des radioéléments

Curie

L'étude de la radioactivité comprend, d'une part, celle de la chimie des radioéléments, d'autre part, celle des rayons émis par ces éléments ainsi que les conclusions qu'on peut en tirer relativement à la structure des atomes. Les radioéléments peuvent être définis comme des éléments chimiques particuliers qui donnent lieu à une émission spontanée et atomique de rayons désignés par les lettres *a*, *b*, *g*, soit rayons corpusculaires positifs, rayons corpusculaires négatifs (électrons en mouvement) et radiation électromagnétique. Envisagés globalement par ordre de leur pouvoir pénétrant vis-à-vis de la matière, les rayons *a* sont les moins pénétrants; ils sont arrêtés par une feuille de papier ou une feuille d'aluminium d'environ 0,1 mm. d'épaisseur; leur trajet dans l'air est de quelques centimètres. Les rayons *b* se propagent dans l'air à des distances plus grandes et peuvent traverser quelques millimètres d'aluminium. Les rayons *g* peuvent traverser plusieurs centimètres de matières relativement opaques, telles que le plomb.

LES RAYONS DE L'URANIUM

La découverte de la radioactivité a été faite par Henri Becquerel en 1896.

L'origine des travaux de Becquerel se rattache aux recherches poursuivies depuis la découverte des rayons Röntgen [6] sur les effets photographiques des substances phosphorescentes et fluorescentes.

Les premiers tubes producteurs de rayons Röntgen étaient des tubes sans anticathode métallique. La source de rayons se trouvait sur la paroi de verre rendue fluorescente par le choc des rayons cathodiques. On pouvait se demander si l'émission de rayons Röntgen n'accompagnait pas nécessairement la production de la fluorescence, quelle que fût la cause de cette dernière.[7] Cette idée a été énoncée par Henri Poincaré, et, divers essais furent tentés pour obtenir des impressions photographiques au travers du papier noir à l'aide du sulfure de zinc phosphorescent et du sulfure de calcium exposé à la lumière; le résultat final a été négatif.

H. Becquerel a fait des expériences analogues sur les sels d'uranium dont quelques-uns sont fluorescents. Il obtint des impressions photographiques au travers du papier noir avec le sulfate double d'uranyle et de potassium. La suite des expériences montra que le phénomène observé n'était nullement relié à la fluorescence. Il n'est pas nécessaire que le sel soit éclairé; de plus, l'uranium et tous ses composés, fluorescents ou non, agissent de même, et l'uranium métallique est le plus actif. Becquerel trouva ensuite que les composés d'urane placés dans l'obscurité complète continuent à impressionner les plaques photographiques au travers du papier noir pendant des années. Il admit que l'uranium et ses composés émettent des rayons particuliers: *rayons uraniques*. Ces rayons peuvent traverser des écrans métalliques minces; en traversant les gaz, ils en produisent l'ionisation et les rendent conducteurs de l'électricité. L'émission uranique est spontanée et constante; elle se montre indépendante des conditions extérieures telles que l'éclairement ou la température.

La conductibilité électrique provoquée dans l'air ou d'autres gaz par le rayonnement de l'uranium est de même nature que celle produite par les rayons Röntgen. Les ions produits, dans les deux cas, ont la même mobilité et le même coefficient de diffusion. La mesure du courant de saturation donne un moyen convenable pour 5 mesurer *l'intensité du rayonnement* dans des conditions déterminées.

LES RAYONS DU THORIUM

Les recherches faites simultanément par G. Schmidt et par Marie Curie, ont montré que les composés de thorium donnent lieu à une émission de rayons sem- 10 blables aux rayons uraniques. De tels rayons sont souvent nommés *rayons de Becquerel*. On a nommé *radioactives* les substances qui émettent des rayons de Becquerel, et la nouvelle propriété de la matière révélée par cette émission a été nommée *radioactivité* (M. Curie). 15 Les éléments qui la possèdent se nomment *radioéléments*.

Mme Pierre Curie, *Radioactivité*, Hermann et Cie, Paris

Henry Le Chatelier

1850–1936

Un grand savant et un grand réalisateur

Houllevigue

Les grandes étapes de la vie de Henry Le Chatelier ont été rappelées à l'Académie des Sciences, dans sa séance du 21 septembre dernier, par M. Louis Bouvier; on nous permettra de reproduire ici quelques lignes de son discours: "Le grand savant qui a été justement 5 appelé le maître de la chimie industrielle s'est doucement éteint, à Miribel-les-Échelles (Isère), après une verte vieillesse qui le laissa tel que nous le voyions ici, en juillet dernier, droit, fin, souriant et amène, comme l'a représenté Lamourdedieu dans la médaille offerte 10 en 1922 à notre confrère à l'occasion de son cinquantenaire scientifique. Henry Le Chatelier naquit, en 1850, dans une famille où l'on avait, des deux côtés, le culte et la pratique des choses de science; par son père, qui inventa le procédé Martin pour la fabrication 15 de l'acier, il entra en contact avec Sainte-Claire Deville; par son grandpère, collaborateur de Vicat, il devait s'intéresser au problème des ciments. Entré le premier à l'École Polytechnique, en 1869, il passait ensuite par l'École des Mines et très vite, en 1877, revenait dans cette maison pour y professer la chimie. Sa carrière fut, dès lors, particulièrement rapide; après un séjour au Collège de France, en 1907, il remplaçait à la Sorbonne l'illustre Moissan, qu'il devait, peu après, remplacer à l'Institut . . . Sa carrière fut heureuse, grâce à sa haute valeur, mais non sans chocs administratifs, car il avait un culte pour la loi, dès lors pour la discipline qui est, disait-il, le respect volontaire de la loi; il était la droiture même, et sut, envers et contre tous, appliquer ces principes."

De cette indépendance d'esprit, Le Chatelier lui-même a cité un exemple: "Au début de ma carrière, écrit-il, je fus brutalement évincé de l'enseignement de l'École polytechnique, et tout mon avenir scientifique faillit être brisé pour avoir manifesté quelques doutes au sujet de l'insécabilité de l'atome et de l'indestructibilité de ses crochets; la foi dans ces hypothèses était alors à la base de toute science chimique; Wurtz l'avait déclaré, et il disposait de toutes les places de professeur." Tel était l'homme. Résumons l'œuvre.

LE SAVANT

Par ses origines, par les travaux auxquels il était associé, Henry Le Chatelier était naturellement poussé vers l'étude des grands problèmes techniques qui se posent à l'industrie moderne; mais il savait qu'avant de les résoudre à l'usine, il fallait les étudier au laboratoire; c'est ce qui explique l'abondance et, en même temps, la diversité de sa production scientifique; qu'il s'agît [1] du dosage du carbone, de l'analyse des ciments, de la trempe des aciers, de la combustion des mélanges gazeux, de l'étude métallographique des métaux et des alliages, de la mesure des hautes températures, il commençait par se dégager de toute considération utilitaire pour établir les faits, en tirer les lois qu'ils comportent, et réaliser les appareils de mesure appropriés. 5

C'est ainsi qu'il agit pour la mesure des hautes températures; celles-ci conditionnent la bonne marche des opérations dans l'industrie métallurgique, dans la fabrication des verres, des porcelaines et des faïences, 10 où une différence de 20 degrés suffit souvent pour donner d'irrémédiables mécomptes. Or, ces températures n'étaient appréciées jusqu'alors que visuellement, d'après l'éclat et la coloration des fours, par des ouvriers ou des contremaîtres ayant acquis une longue pratique 15 de ces opérations. Henry Le Chatelier se trouva donc amené à perfectionner ces procédés sommaires, et il le fit en établissant d'abord les lois expérimentales de rayonnement du corps noir; [2] ses expériences, qui sont restées classiques, furent effectuées à la fin du siècle 20 dernier, c'est-à-dire à une époque où les lois du rayonnement étaient encore mal connues; elles lui permirent d'établir un *pyromètre optique*,[3] qui est encore en usage, et dont les appareils plus modernes ont respecté le principe, car ils utilisent toujours la lumière rouge fil- 25 trée par un verre absorbant, c'est-à-dire qu'ils opèrent, non sur l'ensemble des radiations émises, mais sur un rayonnement monochromatique. * * *

L'ORGANISATEUR

La collaboration de Le Chatelier à la science universelle mérite, assurément, notre admiration reconnaissante. Mais ce qui a fait l'originalité de ce haut esprit, c'est l'œuvre d'organisation scientifique dont il a exposé et justifié les principes dans de nombreuses publications, entre lesquelles on peut citer: *La Réforme de l'enseignement secondaire; Science et industrie; Organisation scientifique*, etc.

Le Chatelier était poussé dans cette direction par son amour de l'ordre et par son clairvoyant patriotisme; il avait trop souvent constaté l'infériorité lamentable de notre pays, qui compte tant de génies créateurs, dans l'ordre des réalisations pratiques; alors qu'à l'étranger, en Allemagne, au Danemark, aux États-Unis, il avait constaté l'étroite association de la Science et de l'Industrie, il constatait qu'en France, les techniques les plus délicates étaient confiées à des praticiens peu instruits, parfois même (et c'était ce qui le choquait le plus) à des ingénieurs qui avaient perdu la foi dans la science et qui renonçaient à se tenir au courant de ses progrès; les chefs d'industrie eux-mêmes les poussaient dans cette voie, soit par d'irréalisables exigences, soit par un dédain absolu.

C'est pour remonter la pente et corriger cette infirmité nationale que Le Chatelier a poursuivi sa croisade; mais il reste bien entendu que les méthodes de travail qu'il préconise gardent une valeur universelle. Il avait fait sien le fameux principe énoncé par Descartes dans son *Discours de la méthode:* "Diviser chaque difficulté en autant de parcelles qu'il se pourrait et qu'il serait requis pour les mieux résoudre; faire partout des dénombrements si entiers et des revues si générales, qu'on soit assuré de ne rien omettre."

Tout travail, qu'il soit scientifique ou industriel,

devra débuter par cette analyse; il comprendra successivement:

Le choix du but à atteindre, qui doit être unique, précis, restreint et utile;

L'étude des moyens de travail à employer pour atteindre ce but;

La préparation de ces moyens;

L'exécution du travail;

Enfin, le contrôle et l'utilisation des résultats obtenus.

Mais, comme il visait à faire l'éducation des industriels plus que celle des savants, il n'hésitait pas à marquer les différences nécessaires entre les deux ordres de recherche:

"Le but de toute recherche scientifique est d'arriver à découvrir des relations entre les phénomènes, c'est-à-dire des lois. C'est bien là aussi le rôle du laboratoire dans l'industrie; mais entre les recherches de la science pure et les recherches industrielles, il y a une différence essentielle: les premières ne se préoccupent que des lois les plus générales et les plus simples reliant deux ou trois variables au plus; dans les laboratoires d'usine, au contraire, on s'attaque à des cas particuliers déterminés, dépendant d'un nombre énorme de variables, parfois plus d'une douzaine. La détermination des lois demandées aux laboratoires d'usine vise en général un des quatre cas suivants: (1) diminuer tel déchet de fabrication; (2) diminuer le prix de revient d'un produit donné; (3) améliorer la qualité d'un produit; (4) reproduire une marchandise déjà livrée par des concurrents . . . La véritable méthode expérimentale consiste à savoir tout mesurer avec le minimum de dépense, en employant un nombre restreint d'appareils; un laboratoire d'usine ne peut être un musée universel d'instruments de physique; on ne doit lui demander, en dehors des machines d'essais relatives à la spécialité de l'usine, que des appareils très simples, d'un usage tout à fait général."

Cet effort, poursuivi avec une souveraine autorité pendant un quart de siècle, n'a pas été perdu pour notre pays; si la crise actuelle en masque les effets, il n'est pas moins vrai que des progrès considérables ont été réalisés, grâce à Henry Le Chatelier, dans la pénétration des méthodes scientifiques; la création de laboratoires d'essais, magnifiquement outillés, tel celui du bâtiment et des travaux publics . . . permet aux industriels de faire effectuer les essais et les recherches qu'exige leur spécialité; les grandes compagnies industrielles entretiennent d'ailleurs des laboratoires pour leur usage personnel; enfin, les principales fabrications sont aujourd'hui garanties par des épreuves sévères, de telle sorte que l'acheteur est exactement renseigné sur leur qualité . . .

L. Houllevigue, in La Science et la vie, Paris

Auguste et Louis Lumière

1862 1864

Les frères Lumière — Chenevier

Quand, coïncidence ou coquetterie charmante, M. Louis Lumière présenta le 25 février 1935 à l'Académie des sciences quelques images animées en relief dues à un procédé de son invention, le monde savant se rappela soudainement avec émotion que, quarante ans plus tôt, le 22 mars 1895, le même Louis Lumière projetait à la Société d'encouragement pour l'industrie nationale le premier film qui ait été réalisé: la sortie des ouvriers de l'usine Lumière. Ainsi le cinématographe comptait quarante ans d'âge, et celui qui l'avait créé et forgé était toujours là, vaillant et honorant la science française par un labeur persistant dont il apportait, du reste, un nouveau témoignage. Presque un demi-siècle avait coulé durant lequel, par battements imperceptibles mais rapides, la formule d'origine avait évolué et grandi. Ce qui n'était, au départ, qu'un jeu de salon, qu'une distraction de soirée devint par une sorte de magie scientifique un des moyens les plus puissants d'expression humaine. Depuis l'invention de

Gutenberg,[1] jamais les foules n'avaient connu pareille passion. Sous leurs yeux le monde entier défilait. La distance s'abolissait. On voyageait sans se déplacer. Autrement que par la lecture et l'imagination, il était 5 désormais possible de se libérer du terre à terre quotidien. * * *

Vers 1880, la technique photographique ayant fait de sérieux progrès laissait apercevoir la possibilité de remplacer le laborieux et délicat procédé au collodion 10 humide, seul en usage chez les photographes de l'époque, par des préparations sensibles au gélatino-bromure d'argent, susceptibles de conservation et ne nécessitant que des manipulations fort simples. Antoine Lumière (le père) eut aussitôt l'intuition que la photographie 15 était à la veille de subir un perfectionnement radical et que ce perfectionnement pourrait lui être profitable.

Cette fois, il a trouvé sa voie et, du même coup, celle de ses deux fils aînés. Il ne sera plus photographe, mais 20 fabricant de produits photographiques. Une petite usine fut donc installée dans le quartier lyonnais de Montplaisir [2] et, courageusement, Antoine Lumière se mit à l'ouvrage. Las! les affaires furent moins brillantes qu'il ne l'espérait, les mises au point, plus longues qu'il 25 ne l'escomptait et, avant même que l'usine eût rien produit, la situation était désespérée. Échec affligeant, mais qui peut-être était un signe du destin.

C'était en 1881. Auguste rentrait d'accomplir son service militaire. Le lendemain de son arrivée, son 30 père dut lui avouer sa détresse financière, et à cet enfant de dix-neuf ans parla comme à un homme. Auguste se raidit, releva le courage de son père et lui déclara qu'avec son frère Louis il allait s'employer à surmonter les difficultés du moment.

Ce dernier, qui sortait de l'école de la Martinière et que son état de santé empêchait de préparer l'École polytechnique comme il l'aurait désiré, était déjà habité par le démon de l'invention. Dès 1878, dans les laboratoires de l'école, il cherchait des formules d'émulsions sensibles. Il en avait découvert une qui paraissait lui donner satisfaction. Aussi résolut-il de la fabriquer en grand dans les ateliers paternels.

Mais les déboires ne tardèrent pas. Le jeune Louis manquait de tout, et son père, plus artiste que savant, comprenait mal certaines exigences de l'apprenti technicien. Ainsi celui-ci ne put-il jamais lui faire admettre qu'une balance de précision était nécessaire pour la préparation de ses dosages.

— Prends la balance de la cuisine, lui répondait invariablement Antoine Lumière.

Alors Louis allait faire ses pesées chez le pharmacien d'en face.

Bref, les conditions de travail étaient on ne peut plus mauvaises.[3] Et aussi, il faut bien le dire, Louis Lumière s'était trompé sur l'excellence de sa première formule. Patiemment il en chercha d'autres, les expérimentant chaque fois avec un espoir qui allait grandissant.[4] Un jour vint, en 1882, où enfin il trouva.

Ce jour-là, souffrant d'un violent mal de tête et étant alité, il pria une de ses sœurs d'aller chercher son frère Auguste qui mettait au courant le successeur de son père à l'atelier de photographie que celui-ci avait vendu. Auguste répondit à l'appel et Louis lui demanda de faire quelques clichés avec les nouvelles plaques.

Auguste photographia un vol de hannetons sortant d'une boîte. Le résultat fut concluant, si concluant même que, plein d'allégresse il dansa de joie.

Un an après, grâce au succès commercial de ces plaques, connues sous le nom de plaques bleues,[5] tous les créanciers étaient remboursés. * * *

Quand, en 1881, sous la pression des nécessités, Auguste et Louis associaient leurs jeunes forces pour le salut de la maison paternelle, ils ne se doutaient guère que, d'une part, cette collaboration serait singulièrement profitable à l'avancement de certaines sciences et que, d'autre part, durant plus de trente années, ils vivraient d'une vie commune si intime que le sentiment public, les identifiant en quelque sorte, ne les désignerait plus que sous le nom des "frères Lumière." Basée sur autant de tendresse que d'estime réciproques, cette union prend aujourd'hui un caractère d'émouvante sentimentalité. "Mon cher Auguste," dit Louis, vieillard de soixante et onze ans. "Mon cher Louis," dit Auguste, vieillard de soixante-treize ans.

Sans doute, mille raisons tendaient à cristalliser entre les deux hommes des affinités affectives naturelles. Ils avaient épousé les deux sœurs. Ils vivaient ensemble, à Lyon, dans une grande villa composée de deux appartements égaux et symétriques. Le repas de midi était pris en commun chez leurs parents qui occupaient un château, connu des Lyonnais sous le nom de "château Lumière," et tout proche de leur résidence. Le soir, ils dînaient en famille, alternativement une semaine chez Auguste et une semaine chez Louis.

Ah! ces dîners! ils ne brillaient pas par le respect des horaires! Avant d'aller s'asseoir à la table de famille,

Auguste joignait Louis dans son bureau ou Louis s'en venait trouver Auguste. Et une interminable conversation s'engageait:

— Eh bien, père Louis, qu'as-tu fait aujourd'hui?

— J'ai travaillé, père Auguste. Et toi?

Et le temps coulait, coulait. Dans la salle à manger, les épouses s'impatientaient. Alors on se résignait à venir chercher les deux savants obstinés, perdus dans leur fraternel échange de pensées. * * *

Inventé à la fin de 1894, le cinématographe ne tarda pas à faire ses débuts publics. Le 28 décembre, une première séance payante était donnée dans le sous-sol du Grand-Café, 14 boulevard des Capucines. M. Volpini, directeur de cet établissement, avait consenti à louer son sous-sol pour un an à M. Clément Maurice, ami d'Antoine Lumière. Si limitée était sa confiance dans la réussite du cinématographe qu'il refusa les 20% sur la recette que son locataire lui proposait, préférant un forfait [6] de 30 francs par jour. * * *

Un savant distingué, M. H. de Parville, directeur de LA NATURE,[7] qui assista à la première séance, ne dissimula pas son étonnement: "C'est, écrivait-il, d'une vérité inimaginable. Puissance d'illusion. Quand on se trouve en face de ces tableaux en mouvement, on se demande s'il n'y a pas hallucination et si l'on est simple spectateur ou bien acteur dans ces scènes étonnantes de réalisme. A la répétition générale, MM. Lumière avaient projeté une rue de Lyon: les tramways, les voitures circulaient, avançaient dans la direction des spectateurs. Une tapissière arrivait sur nous au galop de son cheval. Une de mes voisines était si bien sous le charme qu'elle se leva d'un bond . . . et ne se rassit que lorsque la voiture tourna et disparut. Et nous pensions alors: MM. Lumière sont de grands magiciens." * * *

Tous deux de l'Institut, grands officiers de la Légion d'honneur, ils comptent parmi les illustrations de ce 5 temps. La gloire a bien fait les choses en ne séparant pas ces deux hommes que tout a toujours contribué à unir. Ainsi le sentiment populaire ne subira-t-il aucun démenti: ni Auguste sans Louis, ni Louis sans Auguste . . .

Robert Chenevier, "La Vie et les découvertes des frères Lumière," L'ILLUSTRATION, Paris

Édouard Branly

1846–1940

Ce grand physicien français naquit à Amiens en 1846. C'est grâce à son cohéreur [1] que la télégraphie sans fil est entrée dans le domaine de la pratique. Il fut un pionnier dans le champ de la radiotélémécanique, ayant commencé ses recherches là-dessus en 1900. Cette branche de la science a tellement évolué que certains esprits audacieux songent déjà à diriger — au moyen des ondes hertziennes — le vol d'avions sans pilote à travers les océans. En 1904 Branly reçut le Prix Osiris (décerné par le Syndicat de la Presse Parisienne) en conjonction avec Mme Curie. Il fut membre de l'Académie des sciences.

Branly à 90 ans — Devaux

Avec quelle émotion on retrouve aujourd'hui ce "musée de Vaugirard," les minuscules "tubes à limailles" ou "cohéreurs," fils immédiats du verre platiné, avec lesquels Branly put établir des communications . . . à quelques dizaines de mètres! Tout fonctionne comme le premier jour: vous appuyez sur un manipulateur, une étincelle jaillit à vos côtés d'une bobine, tandis que là-bas une sonnette reliée à un tube à limaille se met

d'elle-même à tinter. Vous prenez à nouveau le manipulateur: un revolver détone à distance, un boulet de canon se soulève sous un énorme électro-aimant, un moteur se met à tourner . . . toute la télémécanique
5 moderne est en germe dans cette expérience qui semble un tour de prestidigitateur.

Aujourd'hui, la science a marché; Marconi assis dans son bureau de Rome, a pu mettre en marche des machines à Melbourne; un paquebot a été lancé en
10 Hollande par un opérateur situé dans l'Afrique du Sud. Mais ce même Marconi a tenu à rendre à notre compatriote un éclatant hommage en lui adressant en 1899 la première dépêche par-dessus la Manche; en voici le texte:

15 "Marconi envoie à M. Branly ses respectueux compliments à travers la Manche, ce beau résultat étant dû en partie aux travaux remarquables de M. Branly."

Édouard Branly est né à Amiens le 23 octobre 1846, Guizot étant alors ministre de Louis-Philippe. Il a
20 donc exactement quatre-vingt-dix ans.

Dans le cours d'une si longue carrière, nous mentirions si nous disions que l'illustre savant a toujours trouvé devant lui une route semée de pétales de roses. Les recherches de physique coûtent cher, il faut des ap-
25 pareils, un laboratoire, des préparateurs. M. Branly, pas plus que nos autres hommes de science, ne fut pas toujours soutenu.

Dans le service de l'Autriche, le militaire, dit-on, n'est pas riche; chez nous c'est le savant qui détient ce
30 peu enviable privilège. Marconi, déjà nommé, trouva en Angleterre des appuis financiers qui lui permirent de fonder une compagnie prospère; Edison, déifié par

ses compatriotes, eut d'immenses laboratoires à sa disposition et conquit une large fortune; tous les savants illustres de l'Angleterre ont été faits lords et dotés d'une riche pension . . . Branly, lui, a attendu *cinquante ans* le laboratoire moderne qu'on lui avait promis. 5

Le rouge monte au front [2] quand on songe que Pasteur fit ses immortelles découvertes dans un local microscopique de la rue d'Ulm; que Claude Bernard travaillait dans une cave humide du Collège de France où il prit des rhumatismes dont il mourut et qu'Édouard Branly 10 a été continuellement entravé, jusqu'à quatre-vingt-dix ans dans ses délicats travaux, par les trépidations des rues d'Assas et de Vaugirard. * * *

Il y a quelques jours, M. Branly passait avec son préparateur devant une fenêtre ouverte où un haut- 15 parleur incongru mugissait à pleine puissance.

— Et dire, murmura le vénérable savant, en portant la main à son oreille, que l'on veut faire croire que c'est moi qui ai inventé *ça!*

Pierre Devaux, in GRINGOIRE, November 2, 1934

Une fausse découverte

M. Édouard Branly aimait à conter cette plaisante 20 anecdote:

"Au lendemain de la guerre, mon laboratoire était encore installé si l'on peut le dire, dans de vieux bâtiments où j'éprouvais d'extrêmes difficultés à effectuer des mesures précises, en raison des trépidations ex- 25 térieures.

"Un jour, j'installe un électroscope [3] à miroir afin d'étudier le passage d'un courant. Vers midi, le miroir de mon appareil dévie; j'enregistre aussitôt, avec l'émotion que vous devinez, les circonstances du phénomène
5 électrique ainsi mis en lumière. Un peu plus tard, je répète l'expérience: mon électroscope demeure cette fois insensible. Le lendemain, toujours à midi, j'observe une déviation comme la veille . . . Quel pouvait être ce mystérieux phénomène qui se reproduisait seulement à
10 l'heure du déjeuner?

"Il me fallut une bonne semaine pour en découvrir la cause. La voici: à midi, heure d'affluence, un grand nombre d'autobus passaient complets, rue d'Assas, sans s'arrêter à la station de l'Institut catholique. Lancés à
15 grande vitesse, leur masse ébranlait la chaussée et les murs de mon laboratoire!

"Je croyais avoir fait une découverte. La vérité m'oblige à dire que mon électroscope avait, beaucoup plus prosaïquement, enregistré le passage de l'autobus U *bis*."

Georges Claude

1870

Georges Claude, chimiste et physicien français, naquit à Paris en 1870. Il est l'inventeur d'une série de procédés industriels importants. Il devint célèbre vers 1900 lorsqu'il réussit à fabriquer de l'air liquide par un nouveau procédé d'où naquit toute l'industrie de l'air liquide. A l'heure actuelle les machines de Georges Claude fournissent un litre d'air liquide par cheval [1] et par heure. Par la distillation fractionnée de l'air liquide, M. Claude obtint l'oxygène et l'azote liquides à des prix relativement bas.

Pendant vingt et un ans (1903–1924), il travailla sur les gaz rares de l'air et parvint à liquéfier les divers constituants de l'air, sauf l'hydrogène. Il ne négligea pas non plus ce dernier gaz et trouva une méthode qui permet de le préparer économiquement pour l'utiliser à la synthèse de l'ammoniaque. Tout récemment lui et Paul Boucherot réussirent à capter l'énergie thermique des mers. Sous les tropiques la différence entre la température de l'eau des couches superficielles et des couches profondes est considérable. En 1930 Claude et Boucherot annoncèrent au monde que l'utilisation de cette différence de température pour la production de l'énergie est désormais dans le domaine des choses possibles.

Je suis allé demander à l'éminent homme de science à qui nous sommes redevables de l'industrie de l'air liquide, M. Georges Claude, quelques précisions sur les gaz rares de l'air, dont on a beaucoup parlé ces temps
5 derniers.

— L'air, me dit le grand savant, n'est pas comme on l'a cru trop longtemps, un simple mélange d'oxygène et d'azote. Les travaux de Ramsay ont montré, d'une manière lumineuse, que c'était une mine de gaz aux
10 curieuses propriétés; de gaz rares que l'on a appelés: néon, hélium, argon, krypton, et xénon.

Voici un schéma. Il vous situe une colonne d'air liquide arrivant à une température convenable dans un tube où il y a le vide complet. Dans l'ensemble hété-
15 rogène qu'est l'air, ce sont le néon et l'hélium qui vont les premiers reprendre leur état gazeux. Après, ce sera l'azote. Ensuite l'argon, puis l'oxygène, et enfin le krypton et le xénon. En d'autres termes, ces deux derniers gaz sont les plus faciles à liquéfier. Les plus
20 rebelles sont le néon et l'hélium.

Au moyen d'un appareil conçu sur le principe de ce schéma — appareil que je ne vous décrirai pas parce que ce serait entrer dans la technique pure de nos opérations — nous sommes parvenus à constater l'exis-
25 tence de trois parties de néon et une partie d'hélium pour deux cent mille parties d'air.

Par contre, on ne peut trouver que des traces infinitésimales d'hydrogène, au lieu du 1/10.000 dont on nous a, pendant longtemps, assuré la présence.

Le néon a reçu immédiatement son application industrielle. On s'est mis à construire des tubes de verre, dont les extrémités ont été munies d'électrodes.[2] On les a ensuite remplis avec ce gaz. Entre les électrodes on a fait passer un courant. Le néon, qui est un gaz incolore, vous le devinez, prend alors une luminescence intensive, utilisée aussitôt pour la publicité. Cette luminescence est obtenue en faisant passer un courant alternatif dans les tubes; on obtient, à des intervalles très rapprochés, des feux vifs et de la transparence inerte.

Notez que ces tubes au néon peuvent être produits en quantités considérables. Avec un seul appareil de 200 mètres cubes d'oxygène à l'heure, on peut retirer 400 litres de néon par jour, c'est-à-dire de quoi faire 10.000 tubes de 1.000 bougies chacun et durant des milliers d'heures.

On obtient ainsi — nous l'avons vu — l'hélium. L'hélium préoccupe beaucoup le public depuis qu'on sait qu'il est préférable à l'hydrogène dans le gonflement des dirigeables, parce qu'incombustible. Hélas! les quantités d'hélium qu'on peut extraire de l'air par les procédés que nous utilisons sont infimes. Avec l'appareil de 200 mètres cubes d'oxygène dont je parlais tout à l'heure, on n'arriverait à produire, par an, que 40 mètres cubes d'hélium. Il faudrait donc deux mille ans pour gonfler un zeppelin. Commencé à la naissance de Jésus-Christ, le gonflement serait terminé pour l'Exposition universelle de l'an 2000. Il faut donc rayer ce projet du carnet de nos espoirs.

Il n'est, toutefois, pas impossible que des appareils à oxygène, installés à dessein dans certaines régions volcaniques et alimentés de l'air provenant de grandes profondeurs, n'arrivent à produire bien davantage. Mais ce n'est qu'un espoir. Comme certitudes, seuls les États-Unis et le Canada [3] peuvent se flatter, à l'heure actuelle, de posséder, avec leurs gaz naturels, un demi ou 1% des sources d'hélium réellement industrielles.

On pourrait peut-être, chez nous, reprendre l'idée émise en 1866 par Tellier dans son extraordinaire ouvrage sur l'ammoniaque. Il s'agissait tout simplement de gonfler les dirigeables au gaz ammoniac, qui n'est guère plus combustible que l'hélium et qui présente à peu près la même densité que le gaz d'éclairage. Ce serait, évidemment, un gros sacrifice de force ascensionnelle, mais on serait, du moins, libéré d'un danger dont le sort malheureux de trop de dirigeables n'a que trop souligné l'importance.

L'argon est beaucoup moins rare que le néon et l'hélium. Sa proportion atteint 1% de l'air ambiant. C'est un terrible gêneur dans l'industrie de l'air liquide. S'il était, en effet, plus volatil que l'azote ou moins que l'oxygène, on pourrait le rechercher facilement à la partie supérieure ou inférieure du tube dont je parlais tout à l'heure. Malheureusement, il a le mauvais goût de s'intercaler entre ces deux gaz.

Il en résulte qu'il sort des appareils mêlé, partie à l'azote, ce qui n'est pas très grave, partie à l'oxygène, ce qui l'est beaucoup plus. De plus en plus, en effet, les besoins industriels réclament de l'oxygène rigoureusement pur, notamment pour opérer le coupage des métaux. Il y a donc intérêt à isoler ce gaz, non seulement pour l'utiliser directement, mais aussi pour améliorer la qualité de l'oxygène.

Jusqu'à la guerre, on n'était arrivé, dans les tentatives faites, qu'à obtenir une mixture d'oxygène, d'azote et d'argon. Pendant la guerre, Linde eut la chance — ou l'habileté — de trouver, le premier, une solution approchée du problème, en soumettant à un traitement approprié la mixture en question.

Subitement, les électriciens découvrirent à l'argon des propriétés exceptionnellement intéressantes. Autrefois, ils faisaient le vide dans les lampes à incandescence. Après avoir étudié les propriétés de l'argon, ils ont été amenés à reconnaître qu'il est préférable de remplir les ampoules électriques avec ce gaz que de les soumettre à un vide rarement parfait. L'argon est, en effet, un gaz très curieux; sa densité est si grande qu'il ne laisse pas passer les rayons caloriques. Sa masse leur fait obstacle. Or, l'énergie reçue par le filament porté au rouge dans une lampe à incandescence produit à la fois de la lumière et de la chaleur. S'il y a le vide dans l'ampoule, elle constitue un foyer de lumière et de chaleur. Si on y introduit de l'argon, elle n'est plus qu'un foyer de lumière, puisque ce gaz absorbe la chaleur produite. C'est pourquoi la lampe à argon — qu'on a appelée lampe demi-watt — a pris un développement considérable et l'argon a acquis une valeur industrielle importante.

On obtient maintenant de l'argon à 70 ou 80% mêlé à 20 ou 30% d'oxygène, dont il est facile de se débarrasser par combustion dans un chalumeau avec de l'hydrogène. En définitive, on est arrivé à obtenir un mélange d'argon et d'une petite proportion d'azote, dont les fabricants de lampes ne se plaignent pas, au contraire.

Infiniment plus rares, non seulement que l'argon,

mais encore que le néon et l'hélium, sont le krypton et le xénon, puisque, d'après M. Lepage, qui a pourtant corrigé, dans un sens très heureux, les évaluations de Ramsay,[4] leurs proportions respectives sont d'un millionième pour le krypton et d'un dix-millionième pour le xénon. Rareté bien regrettable, car ces deux gaz ont des propriétés extrêmement curieuses. Examinons d'abord leurs densités respectives. Celle du krypton est de trois fois supérieure à celle de l'air; celle du xénon, de quatre fois et demie. L'atome est, de ce fait, d'une complexité et d'un poids tout à fait extraordinaire pour des gaz simples. Il en résulte que leur opacité aux rayons X est énorme. Le xénon, par exemple, ne se laisse pas plus traverser par eux que les os de notre corps, propriété qui a permis à M. Damvilliers de suggérer des applications originales de ce gaz, notamment celle que voici: jusqu'à présent, on obligeait les malades dont on radiographiait le tube digestif à absorber au préalable une matière blanche et nauséabonde destinée à opposer une barrière à la pénétration des rayons X. Cette préparation à la radiographie était, pour le patient, un moment atroce. Grâce au krypton et au xénon, ce n'est plus rien. Le malade boit un verre d'un gaz inodore, insipide et inerte, ce qui ne suscite en lui aucune appréhension et ne crée aucune gêne. Après quoi, il va s'offrir à l'examen radiologique.

On pourrait aussi, bien entendu, employer le krypton et le xénon dans les lampes à incandescence, de préférence à l'argon, s'ils n'étaient pas si rares. * * *

L'industrie de l'air liquide nous a révélé l'existence d'un certain nombre de gaz, dont les applications industrielles iront sans cesse en croissant,[5] bien que beaucoup de leurs propriétés restent encore inconnues; mais avec du travail, de la patience et aussi de la chance, nous ne désespérons pas de les découvrir, pour le plus grand bien général.

Pierre Chanlaine, *Les Horizons de la science*, Librairie Ernest Flammarion, Paris

M. et Mme Joliot-Curie

1900 1897

Les travaux de M. et Mme Joliot-Curie [1]

Dans un rapide tableau de la Radioactivité, dressé par Pierre Curie en 1903, et que l'on retrouve au beau volume de ses *Œuvres*, le grand savant récapitulait ainsi les conséquences de la mémorable découverte:
5 "Les résultats obtenus sont de nature à modifier les idées que l'on pouvait avoir sur l'invariabilité de l'atome, sur la conservation de la matière et la conservation de l'énergie, sur la nature de la masse des corps et de l'énergie répandue dans l'espace. Les questions
10 les plus fondamentales de la Science sont donc remises en discussion. En dehors de l'intérêt théorique dont ils sont l'objet, les phénomènes de radioactivité donnent de nouveaux moyens d'action au physicien, au chimiste, au physiologiste et au médecin."

PREMIÈRES ÉTAPES

15 La première des modifications signalées par Curie, celle qui remettait en question l'invariabilité de l'atome, formait un changement capital et bouleversait la chimie

tout entière puis qu'elle en ébranlait la base. Le XIXe siècle, en effet, avait de plus en plus proclamé la stabilité de l'atome: un élément simple, c'était précisément le morceau de matière que nulle expérience, ni physique, ni chimique, ne pouvait transformer.

Or, la découverte de la radioactivité par Henri Becquerel, celle des radioéléments naturels par Pierre et Marie Curie renversaient ce dogme. L'atome de radium se décomposait en émettant trois sortes de rayons. S'il se décomposait, on l'a dit, c'est qu'il était composé! L'atome perdait donc sa stabilité, sa simplicité, jusqu'à son nom même puisqu'il n'était plus "insécable."

Ce fut la première ère du grand changement. Ère simplement passive d'ailleurs et il importe d'y insister. La radioactivité apparaissait alors comme un phénomène naturel que le savant constate mais sur lequel il ne peut rien.[2] Le radium se "désintègre," se "transmute," mais nulle action du chimiste ou du physicien, nulle variation dans l'expérience ne peut provoquer, accroître, retarder ou interdire le phénomène — non plus que le troubler en quoi que ce soit.[3]

Il fallut attendre 1919 pour entrer dans l'ère active. Le plus grand savant étranger de la radioactivité, Rutherford, réalisa la première transmutation artificielle. Cet "alchimiste" — et c'est le premier qui mérite ce titre — bombarda des atomes d'azote par les rayons alpha du radium C′: les noyaux de ces atomes, éventrés par l'artillerie alpha, laissent alors échapper des particules massives d'électricité positive — des "protons" — et se transmutent en noyaux d'oxygène. Dès lors le développement de la technique permit d'autres types de désintégrations artificielles. Mais ils appartiennent toujours à la seconde ère, et ne font qu'étendre ou confirmer la deuxième conquête.

L'ÉTAPE DÉCISIVE

Pour mieux comprendre la troisième étape, revenons sur le chemin parcouru. Premier bond en avant: les 5 Curie découvrent les corps radioactifs ou radioéléments naturels qui se désintègrent spontanément. Deuxième bond: Rutherford emploie les corps radioactifs à bombarder d'autres corps ordinaires et transmute volontairement, artificiellement, ces derniers.

10 Or, l'on voit que ces deux premières séries de découvertes concernent toujours les corps radioactifs. Nous ne sortons pas de cette catégorie restreinte, de ces familles étranges qu'on appelle: "familles radioactives." Eh bien! les mésalliances vont apparaître avec le troi-15 sième bond. Par la découverte de la Radioactivité artificielle, Frédéric Joliot et Mme Joliot (Irène Curie) ont trouvé le moyen de provoquer artificiellement dans presque tous les corps de la chimie ces phénomènes qui formaient l'apanage exclusif des corps radioactifs. Ils 20 ont créé de véritables radioéléments nouveaux, non plus naturels comme le radium, mais artificiels. Action d'éclat qui valut à ses auteurs l'un des récents Prix Nobel de chimie, on le sait.

LA CRÉATION DES RADIOÉLÉMENTS ARTIFICIELS

L'expérience originaire, décisive, de M. et Mme 25 Joliot, faite à l'Institut du Radium, est la suivante: utilisant leur forte source de Polonium [4] — l'une des plus puissantes du monde — ils irradiaient une feuille d'aluminium; autrement dit, les noyaux d'aluminium étaient soumis à un bombardement d'un milliard de projectiles alpha par seconde. Retirant au bout de quelques minutes la feuille d'aluminium, la soustrayant ainsi à l'action du Polonium, les deux jeunes savants constatèrent que le métal irradié possédait une radioactivité, laquelle décroissait de moitié en trois minutes quinze secondes. Ainsi, phénomène absolument nouveau et insoupçonné jusqu'alors, l'aluminium d'abord inactif devenait actif et l'on s'apercevait qu'il émettait des électrons positifs. Il y avait donc création d'un nouveau radioélément. Quel était-il? L'étude théorique et expérimentale — particulièrement le "bilan de transmutation" — conduisit les chercheurs à décider que c'était un phosphore inédit, un radiophosphore, qui venait ainsi d'être créé à partir d'aluminium.

En bombardant le bore ils créèrent de même un radioazote, puis un radiosilicium et un radioaluminium à partir du magnésium. Dans le rayonnement émis alors par le magnésium, ce sont les électrons négatifs cette fois qui dominent, et présentent une énergie plus grande que les positifs. A ces variantes près,[5] et à la valeur des périodes de décroissance près également, le phénomène est le même: il s'agit d'une émission radioactive absolument comparable à l'émission radioactive naturelle; il s'agit, et pour la première fois, de radioéléments créés, qui n'existaient pas "ou qui n'existaient plus" dans la nature.

L'expression "radioactivité artificielle" consacrée par l'usage universel n'est pas rigoureuse. Ce n'est point en effet, le noyau stable de l'aluminium, du bore ou du magnésium que l'on rend radioactif dans l'expérience indiquée plus haut. On transforme ce noyau en un autre noyau différent, instable par nature, et qui, lui, est radioactif: c'est un noyau de radiophosphore, de radioazote, de radiosilicium ou radioaluminium, nous l'avons vu.

La création de ces radioéléments est d'ailleurs tout à fait hors de doute. Dès le début, M. et Mme Joliot en ont fourni la preuve chimique. Opérant très vite, à cause de la décroissance rapide d'activité, ils ont, par exemple, dissous dans l'acide chlorhydrique la feuille d'aluminium irradiée. L'hydrogène dégagé, recueilli dans un tube à parois minces, avait entraîné l'activité. Et cette preuve chimique d'une transmutation artificielle était faite la première fois, elle aussi: car jusque-là des expériences tout à fait assurées du point de vue physique, telles que celles de Rutherford, n'avaient jamais pu être vérifiées par la voie chimique parce que le nombre d'atomes produits était trop faible. Alors qu'ici le rayonnement des radioéléments permet de les déceler, même avec un très petit nombre d'atomes.

EXTENSION ET APPLICATIONS POSSIBLES

Depuis, beaucoup d'autres radioéléments ont été créés dans les laboratoires, un peu partout. L'artillerie atomique a profité de munitions nouvelles avec les corpuscules récemment découverts. Parmi ceux-ci, l'un des plus efficaces est le "neutron": le jeune physicien romain Fermi et ses collaborateurs l'ont particulièrement utilisé à produire des radioéléments inédits.

La troisième étape de la radioactivité a cette fois étendu la conquête à presque tous les corps de la chimie, comme nous le disions tout à l'heure. Le gain théorique et pratique apparaît considérable. Ceux qui firent parcourir à la science le troisième bond continuent d'ailleurs leur œuvre. M. Frédéric Joliot, désormais professeur au Collège de France, y crée actuellement un laboratoire qui s'annonce comme l'un des plus puissants du monde et qui prolongera l'action du Laboratoire Curie, à l'Institut du Radium, où expérimente toujours Mme Joliot-Curie. Avec les énergies et les intensités de plus en plus grandes obtenues, les radioéléments auront une force de rayonnement comparable à celle des radioéléments naturels dont les préparations s'utilisent depuis longtemps en médecine. On peut ainsi leur prévoir, en thérapeutique, des applications vraisemblablement importantes. Ils pourront, en effet, être introduits dans l'organisme et y exercer des actions particulières, car ils ont des propriétés chimiques spéciales et, de plus, ils se détruisent sans résidus radioactifs.

Ainsi par deux découvertes essentielles sur trois, la radioactivité — quelque soit l'apport étranger et singulièrement celui de Lord Rutherford — demeure essentiellement une science française. En songeant à la parenté qui relie les récents inventeurs aux premiers, l'on oserait presque risquer le mot d'illustre "famille radioactive." Et l'on vient de voir que les Joliot, par leur extraordinaire découverte récente, ont vraiment ajouté un sens plus large et inédit à la phrase de leur père et beau-père que nous citions au début:

"En dehors de l'intérêt théorique dont ils sont l'objet, les phénomènes de radioactivité donnent de nouveaux moyens d'action au physicien, au chimiste, au physiologiste et au médecin."

From Réalités françaises, reprinted in the Gazette de Lausanne, May 12, 1938

L'Aéronautique

L'aéronautique de 1880 à 1930

Soreau et Volmerange

L'AVANT-GUERRE

La construction du premier grand aéroplane destiné à porter des hommes est due au célèbre constructeur sir Hiram Maxim; de 1889 à 1891, il y consacre des sommes considérables. La surface alaire est formée de cinq plans étagés sur 10 mètres de hauteur et 30 mètres d'envergure. Le moteur à vapeur, très ingénieux, est alimenté par une chaudière chauffée à la gazoline par 45.000 becs, et pouvant produire instantanément la quantité de vapeur strictement nécessaire à la sustentation: l'ensemble pèse 14 kg. par cheval. Malheureusement, cet appareil géant se brise aux essais, qui sont abandonnés.

De 1890 à 1897, un autre ingénieur réputé, Clément Ader, entreprend de patientes recherches qui l'amènent à construire une série d'aéroplanes à moteur, auxquels il donne le nom d'avions, aujourd'hui consacré. Il aurait effectué [1] dès 1890 un vol de 50 mètres, à bord de son premier appareil, sans autres témoins que ses aides. En octobre 1897, à bord de son troisième avion, de 15 mètres d'envergure et doté d'un moteur de 30 ch. avec générateur très léger, Ader réussit au ras du sol une envolée de 300 mètres terminée par une chute où l'appareil se brise: c'est le premier vol d'un avion monté, et, comme pour le dirigeable, il a lieu en France, aux portes de Paris.

De 1900 à 1903 les frères Wright, reprenant les expériences de planement de l'Allemand Lilienthal, s'entraînent dans les dunes de Kitty Hawk à de très nombreuses glissades qui leur donnent le sens de l'air et de la manœuvre de leur voilure. Ils portent alors la surface alaire à 48 m^2., installent un moteur de 15 ch. pesant 63 kg., et, montant tour à tour à bord, réussissent, en décembre 1903, quelques vols, dont le plus long est de 260 mètres. Deux ans plus tard, avec un moteur de 25 ch., ils décrivent des orbes, rendus possibles par un ingénieux gauchissement conjugué des pointes arrière de leur biplan, et arrivent à effectuer, en 38 minutes, un parcours évalué à 38 km.

La nouvelle de cet exploit déclanche dans notre pays ce mouvement vers l'aviation qui a pris un développement formidable, et dont on peut dire que nulle invention n'a soulevé à ce point l'enthousiasme des hommes. Fin 1906, Santos-Dumont, à bord d'un léger esquif, réussit un vol de 220 mètres à Bagatelle. En 1907 et 1908, Voisin, Blériot, Farman, Esnault-Pelterie créent des appareils plus importants, et mettent très vite au point les principaux organes d'une nouvelle technique: l'empennage, le "manche à balai," les ailerons, le train d'atterissage, le moteur d'avion fixe ou rotatif. Alors se déroule dans le ciel de France cette prestigieuse épopée aérienne dont nous ne pouvons ici rappeler que les étapes les plus significatives.

Le 13 janvier 1908, Henri Farman effectue, en Europe, le premier vol en circuit fermé d'un kilomètre. En décembre, Wilbur Wright, au camp d'Auvours, s'adjuge le record mondial de durée et de distance par 123 km. et 2 h. 18 m. En 1909, Blériot traverse la Manche, geste que le monde entier salue d'un indescriptible enthousiasme, comme le gage certain du caractère pratique de la nouvelle conquête. Puis c'est l'héroïque semaine de Reims, le survol de la Tour Eiffel [2] par le comte de Lambert, le Circuit de l'Est, l'intrépide exploit de Chavez, escaladant le Simplon, et, pris alors par un vent de rabat, venant s'écraser dans la plaine de Domodossola, mourant de sa propre victoire; ce sont les grandes randonnées Paris-Madrid, Paris-Rome, et la traversée de la Méditerranée par Roland Garros, sans apprêt, sans flotteurs, sans convoyeur, acte le plus hardi, mais le plus téméraire de cette époque héroïque.

LA GUERRE

A cette épopée en succède une autre, non moins grandiose, mais combien plus tragique. La guerre éclate. Nous possédons en tout 134 avions, et fort heureusement, l'Allemagne n'en a pas davantage. Ce sont des avions de sport, qui ne sont propres qu'à l'observation; les nôtres s'y emploient avec ardeur, et l'un d'eux révèle que l'armée de von Kluck, abandonnant la direction de Paris, s'infléchit vers le Sud-Est. "J'appelai alors, écrit le général Galliéni, l'attention de nos officiers aviateurs sur l'importance des renseignements complémentaires que je leur demandais, ayant, d'après eux, à prendre les plus graves décisions." Ainsi, c'est l'aviation qui renseigne de suite le haut commandement et décide le généralissime Joffre "à engager une bataille dont dépend le salut du pays." Imaginez que nous ayons possédé alors la vingtième partie de l'aviation de bombardement dont nos armées ont été pourvues depuis: elle aurait pu transformer en déroute la retraite ordonnée de l'ennemi. Quoi qu'il en soit,[3] les observations par avions contribuent à enrayer la manœuvre réciproque d'enveloppement qui se développe ensuite sous le nom de "course à la mer."

En 1915, s'ébauche le réglage de tir d'artillerie par avions, tandis que se perfectionnent les procédés de photographie à grande distance, dont les clichés deviennent les documents essentiels à la préparation et à l'exécution des attaques; la T. S. F. est installée à bord, et permet une liaison étroite avec les belligérants de terre; les avions de chasse, dotés de mitrailleuses s'illustrent dans des combats épiques.

En 1915, pendant la bataille de Verdun, c'est à l'aviation qu'est confié le périlleux honneur de renseigner le commandement heure par heure et d'assurer la liaison avec les troupes de première ligne, à travers les pires difficultés d'observation. Enfin, l'année 1918 voit l'apparition de l'aviation de bombardement massive, qui fait merveille pour aveugler la brèche ouverte à Saint-Quentin dans le front allié par un recul de 30 km. des troupes britanniques: 300 appareils tiennent l'air pendant plusieurs mois, déversant sur l'ennemi des tonnes d'explosifs, jusqu'à ce que la ruée allemande soit définitivement brisée.

Dans tous ces domaines, reconnaissance, chasse, bombardement, vols à faible hauteur accompagnant les attaques de l'infanterie, l'aviation a constamment débordé les cadres qu'on lui assignait. Quant à l'effort des constructeurs, il fut considérable. A l'armistice, l'armée française possédait 7.300 avions, dont 3.900 sur le front, ce qui a fait dire que notre aviation est née de la guerre. C'est une opinion fausse et injuste, car les avions d'avant-guerre avaient réalisé à un degré déjà élevé ces qualités maîtresses: stabilité, vitesse, plafond, rayon d'action, poids utile; or, tous ceux qui ont vécu les débuts de l'aviation savent bien que, pour la stabilité notamment, le grand problème était de l'affirmer pendant quelques minutes; ils se souviennent des difficultés et des dangers des premières années. Les grands progrès techniques nés de la guerre sont dus, pour une large part, à la nécessité pour l'avion de dominer son adversaire et d'être "plus vite": dans l'aviation de chasse, quelques centaines de mètres de plus ou de moins pour le plafond, quelques kilomètres à l'heure pour la vitesse sont une question de vie ou de mort, de victoire ou de défaite; de quelques kilogrammes de charge utile peut dépendre la possibilité ou l'impossibilité d'exécuter une mission d'observation ou de bombardement. De là l'obligation de perfectionner sans cesse les conceptions aérodynamiques, et même, pour les avions d'alors, de beaucoup sacrifier à la légèreté, fût-ce au détriment de la sécurité, d'augmenter la puissance, dont la moyenne passe de 100 à 500 ch.

Quant aux dirigeables, ils ne jouèrent sur le front terrestre qu'un rôle assez effacé: les souples français disparurent des armées dès l'automne de 1914, et les rigides allemands en 1915; mais les uns et les autres furent employés avec utilité dans les opérations navales, et les zeppelins prirent part aux bombardements à l'arrière, notamment sur Paris et sur Londres. Les ballons captifs s'affirmèrent d'une utilité plus directe 5 pour les opérations militaires du front.

L'APRÈS-GUERRE

Après la grande guerre, tous les pays, même les moins belliqueux, ont été unanimes à se rendre compte qu'une aviation puissante est un élément essentiel de l'armature militaire d'une nation qui veut rester maîtresse 10 de ses destinées, et que, pendant la paix, l'avion est un merveilleux engin de son rayonnement dans le monde. Alors reprend la prestigieuse épopée pacifique caractérisée par des voyages sensationnels et par la lutte pour la conquête des "lignes d'empire" et des grands 15 records mondiaux.

Dès 1919, trois navires aériens traversent l'Atlantique: un hydravion de la marine américaine, piloté par le commandant Read, qui franchit les 3.450 km. de Terre-Neuve à Lisbonne avec escale aux Açores; un 20 biplan Vickers, monté par les Anglais Alcock et Brown, qui va de Terre-Neuve en Islande dans un seul vol de 3.050 km.; un dirigeable rigide anglais de 55.600 m^3. et 1400 ch., commandé par le major Scott et ayant 27 personnes à bord, qui effectue un parcours de 12.000 25 km. environ par Edimbourg, Terre-Neuve, New-York et retour à Londres. Puis le bond Paris–New-York sans escale est tenté, en mai 1927, par Nungesser et Coli, qui trouvent une mort glorieuse probablement dans les environs de Terre-Neuve, tandis que, le même mois, Lindbergh, profitant des vents favorables qui règnent d'ordinaire de l'Amérique du Nord vers l'Europe, réussit la traversée New-York–Paris sans escale, seul à bord d'un léger monoplan de 750 kg. à vide, moteur de 240 ch. compris: l'accueil que Paris et la France font à ce charmant et glorieux ambassadeur d'un pays ami est dans toutes les mémoires. Le mois suivant, l'Américain Byrd, avec trois compagnons, renouvelle la traversée New-York–France sur un monoplan trimoteur. Enfin la même année 1927 voit le début du fameux voyage de Costes et Le Brix dans les deux Amériques sur leur Bréguet moteur Hispano-Suiza de 600 ch.: les 11.750 km. du trajet Paris, Saint-Louis, Natal, Rio de Janeiro, Buenos-Aires sont couverts en 73 heures; puis c'est la randonnée triomphale Argentine, Uruguay, Paraguay, Chili, Pérou, Équateur, Vénézuela, États-Unis, soit 27.800 km.; enfin, après embarquement à San Francisco et débarquement à Tokio, c'est le retour foudroyant à Paris, en 106 heures pour 16.000 km. En 1929, Assollant, Lefèvre et Lotti, sur monoplan Bernard, moteur Hispano 600 ch., effectuent la traversée Ouest-Est, des États-Unis à la côte espagnole.

R. Soreau and A. Volmerange, in LE GÉNIE CIVIL, fiftieth anniversary issue, 1931, Paris

La traversée de l'Atlantique par Lindbergh — Mortane

Pour essayer son appareil, Lindbergh avait quitté San Diego le 11 mai. Le soir, il était à Saint-Louis. Après une réception organisée par ses amis, au lieu d'aller se coucher, il retourna à l'aérodrome, fit faire le plein et repartit. L'après-midi, il était à New-York, ayant couvert le parcours de 4.200 kilomètres en cinq heures de moins que le temps record.

Huit jours après, l'événement historique allait se produire.

Lindbergh prit son vol le vendredi 20 mai, seul à bord. Au lieu de passer une nuit calme dans un lit en vue de l'effort qu'il allait fournir, il était allé la veille au soir au cinéma et ne s'était reposé que deux heures.

A midi 52 (heure française) il commençait à rouler sur le terrain de Roosevelt Field. Il avait adopté le sens contraire à celui qu'on lui avait recommandé. Il risquait de s'écraser contre les maisons si le décollage ne s'effectuait pas aussi rapidement qu'il était espéré. Lindbergh avait confiance et faillit seulement accrocher les fils télégraphiques. Les télégrammes allaient annoncer son passage aux divers points du trajet, de façon très régulière.

Il dépassait le Massachusetts à 14 heures 55,[4] la Nouvelle-Écosse à 20 heures 05, le cap Race (Terre-Neuve) à 23 heures 55, Saint-Jean de Terre-Neuve, le samedi 31 mai à 0 heure 50. Il y avait douze heures qu'il était parti. Puis c'était l'interminable survol de l'Atlantique aux trahisons multiples. L'Irlande était atteinte à Valencia, à 14 heures 50 (vingt-six heures après le départ). La traversée était terminée à 17 heures 50. C'était alors la Cornouailles, le Comté de Devon et, à 20 heures 25, Cherbourg: la France.

Désormais, ce n'était plus, pour ainsi dire, qu'une formalité et à 22 heures 22, Lindbergh se posait au Bourget.

La distance de New-York à Paris — soit 5.809 kilomètres — avait été couverte en 33 heures 30, à la moyenne horaire de 174 kilomètres. A l'atterrissage, il restait dans les réservoirs 322 litres d'essence et 57 litres d'huile. La consommation totale avait été de 1.381 litres d'essence (41 litres 30 à l'heure) et de 18 litres 70 d'huile (0 litres 55 à l'heure). Le vol aurait donc pu être poursuivi pendant sept heures environ, soit 1.200 kilomètres. Et cela avec un 220 chevaux, puissance que nous considérions jusqu'alors tout à fait insuffisante pour les grands voyages! Lindbergh, tout en réalisant New-York–Paris, avait battu le record du monde de la distance. Ce double succès ouvrit les yeux des constructeurs sur les avantages de l'aviation de moyenne puissance.

L'arrivée du héros fut une apothéose! Le délire frénétique, hallucinant d'une foule de 150.000 personnes se précipitant à la rencontre de Lindbergh engagea les aviateurs du Bourget, arrivés les premiers près de lui, à l'escamoter et à l'emmener dans un baraquement, sans quoi on ne sait s'il n'aurait pas été étouffé par les admirateurs qui voulaient le voir, lui serrer la main, ne comprenant pas que cet ange descendu des cieux était la veille à New-York.

Tel fut le véritable conte de fées, vécu par l'inconnu de la veille auquel trente-trois heures et demie de son existence ont donné une gloire immortelle.

Rarement la fortune sut mieux choisir. Lindbergh était digne de ses faveurs. Il avait accompli le plus admirable exploit qu'on pût imaginer, mais il était le seul à ne pas avoir l'air de s'en rendre compte. Il rappelait Garros par sa modestie et sa simplicité. Avec lui pas d'anecdotes, pas de réflexions. Il était parti de New-York, il était arrivé à Paris, simplement. Rien ne comptait en dehors de ces deux faits et pourtant quel supplice avait dû être ce séjour de trente-trois heures et demie dans cette véritable prison où il fallait se tenir courbé sans avoir la ressource de se délasser de temps à autre. N'était-ce pas le plus long vol exécuté jusqu'alors par un pilote seul à bord? Pourtant, à l'arrivée, Lindbergh ne semblait pas aussi exténué qu'on pouvait le croire et, avant d'aller se coucher à l'Ambassade des États-Unis, il tint à saluer la tombe du Soldat Inconnu!

Jacques Mortane, *Les Héros de l'air*, Librairie Delagrave, Paris

Jean Mermoz: un moment dangereux — Kessel

["Athlétique, racé et bon, Jean Mermoz (1901–1936) est une grande figure de l'aviation en France, la plus grande peut-être, comme l'est celle de Lindbergh aux Etats-Unis."]

Mermoz avait bien repéré sa route, l'avion survolait aisément les défenses moins hautes que celles du bastion central, énormes masses que l'on voyait au nord se confondre avec les nuages. Bientôt on apercevrait, serré entre les Andes et le Pacifique, l'étroit croissant de la plaine chilienne. Mermoz ne quittait pas les vallées et les pics du regard le plus intense. Son œil était celui d'un avare qui compte ses pièces d'or. Ici il y avait une selle. On pouvait à la rigueur s'y poser.

Là, au-dessus de ces rocs en forme de hache géante, des trous d'air. A éviter. Plus loin, un col d'une faible altitude. En cas de baisse de régime c'est par lui qu'on devra passer. Il fallait se rappeler tout, tout photo-
5 graphier dans la mémoire: ces jets de pierres, ces dépressions sinueuses, ces formes rompues, ces cratères. Tout pouvait servir.

Or, tandis que Mermoz préparait la parade pour les dangers futurs le carburateur de son moteur s'obstinait,
10 et peu à peu, ce fut net et brutal, la panne.

Mermoz rendit la main à son appareil, le mit en vol plané. Il connaissait point par point la configuration du terrain qui l'entourait immédiatement. On ne pouvait se poser nulle part, sauf peut-être sur l'étroite
15 plate-forme longue de 300 mètres, large de 6 à peine, que son instinct avait retenue sur la gauche au sommet d'une montagne. Mermoz plaça exactement les roues de son avion où il l'avait voulu, au milieu de cette bande plate. Il le fit si délicatement que malgré les
20 bosses et les pierres il ne faussa pas le train d'atterrissage. Mais la pente était plus forte qu'il ne l'avait cru; l'avion qui aurait dû être à bout de course, continuait à rouler doucement; dans une illumination qui avait la promptitude des dessins que forme la foudre, Mermoz
25 comprit, l'appareil ne pouvait pas s'arrêter, son poids l'entraînait: matière morte, il allait rouler de plus en plus vite, au bout de la pente s'ouvrait l'abîme.

Alors Mermoz lâcha les commandes, il prit appui sur le rebord de la carlingue, la guida en voltige, d'un
30 seul bond toucha à peine le sol, dépassa d'un autre bond d'acrobate et d'athlète le nez de son appareil et, arcbouté dans une convulsion de tous ses muscles, cala de

son dos une roue de l'avion. Dans sa chair, dans son torse et ses jambes de lutteur mythologique, Mermoz épuisa la force d'inertie de la machine, équilibra ses soubresauts et la tint enfin immobile.

Joseph Kessel, "Jean Mermoz," PARIS-SOIR, Paris

Les Inventions

Existe-t-il des inventions françaises?

Boutaric

L'esprit d'invention ne date pas d'hier. Dès l'aube de l'humanité, nos lointains ancêtres, obligés de se protéger avec les faibles moyens dont ils disposaient contre les dangers de toutes sortes qui les entouraient, 5 durent imaginer des armes pour se défendre contre leurs ennemis, des engins pour se procurer la nourriture, des vêtements pour se protéger du froid et des intempéries. C'est parmi eux qu'il faut chercher les premiers inventeurs. Mais si le progrès matériel de l'humanité a 10 suivi une courbe d'allure toujours ascendante, malgré des arrêts et même des reculs, c'est assurément au cours du dernier siècle et, d'une manière plus précise, vers sa fin, que se sont précipitées et accumulées, suivant un rythme toujours accéléré, les inventions les plus éton- 15 nantes qui ont permis à l'homme de s'affranchir de l'espace et du temps, de vaincre les éléments, de conserver à jamais l'image du passé, et qui ont multiplié presque jusqu'à l'infini ses moyens d'action sur la nature.

Dans cette évolution rapide qui nous a valu depuis soixante ans l'aviation et la T. S. F., le phonographe et le cinématographe, le four électrique et l'air liquide, le transport de la force à distance et les multiples applications de l'électricité, pour ne mentionner que les conquêtes les plus extraordinaires, quelle a été la part de la France? Quelles sont les inventions françaises qui ont vu le jour depuis l'avènement de la troisième République?

A une question posée sous une forme aussi étroite, il serait impossible de répondre. Pas plus en ce qui concerne les inventions qu'en ce qui touche les arts ou la science pure, un pays ne saurait s'isoler du reste du monde. Il y a eu des inventeurs français, et beaucoup, et des plus grands, mais il n'y a pas, ou presque pas, d'inventions purement françaises. Tous les peuples collaborent suivant leur génie propre à cette grande tâche qui vise l'accroissement du bien-être de l'humanité.

Souvent la même idée se présente presque simultanément à un grand nombre d'esprits dans les pays les plus divers. Elle est d'abord vague et imprécise, et les essais de réalisation échouent. Un temps s'écoule. Des progrès s'étant fait jour dans un domaine voisin, l'idée est reprise, souvent fort loin des lieux où elle était née. De nouvelles tentatives donnent quelques résultats encourageants, mais très imparfaits et sans valeur pratique. Alors de tous les pays surgissent des techniciens qui reprennent les expériences, modifient les appareils, jusqu'au jour où, grâce à un perfectionnement parfois insignifiant, l'invention apparaît comme utilisable. Sans doute évoluera-t-elle encore sans jamais atteindre un stade véritablement définitif, mais elle est enfin acquise à l'humanité. Une fois de plus l'esprit peut se prévaloir d'une conquête nouvelle sur les choses.

Mais à qui revient la gloire de l'invention? Est-ce à celui qui a eu la première idée ou tout au moins qui l'a fait connaître le premier? Est-ce à celui qui a tenté le premier de la réaliser ou encore à celui dont les essais ont semblé, pour la première fois, donner quelques résultats? Au contraire, doit-on rapporter tout le mérite à celui qui a su apporter à l'invention le perfectionnement qui devait la rendre viable?

Vaines questions. Il ne s'agit point de peser des mérites ou de décerner des palmes, mais seulement de connaître comment une idée est née et s'est développée, comment a été réalisée une invention nouvelle. Encore cette tâche n'est-elle point aisée. Comme le faisait remarquer récemment M. Émile Picard, l'éminent Secrétaire perpétuel de l'Académie des Sciences, il est bien souvent difficile d'attacher un nom aux progrès, même les plus éclatants, réalisés dans le domaine de la science et de la technique. Ils sont presque toujours le produit indéfiniment perfectible d'une longue suite de recherches et d'efforts collectifs, dont on ignore les dessous.

* * *

Les Français, en qui s'unissent si harmonieusement l'imagination, la raison et la clarté, ont toujours eu l'esprit d'invention. Et la liste serait longue de ceux d'entre eux qui, par les réalisations nouvelles dont ils ont doté l'humanité, peuvent compter au nombre de ses bienfaiteurs. Il faudrait y inscrire: Denis Papin pressentant l'importance de la vapeur; les frères Montgolfier réalisant la première conquête de l'air; Ampère nous dotant de l'électro-aimant d'où devaient dériver le télégraphe et tant d'autres applications; Niepce et Daguerre parvenant à fixer les images des objets par la photographie; Foucault imaginant le gyroscope; et, tout près de nous: Charles Tellier se faisant l'apôtre des applications du froid; Branly découvrant l'œil électrique qui devait permettre les premiers essais de la T. S. F.; les frères Lumière inventant le cinématographe et la photographie en couleur; Moissan créant avec son four électrique la technique des hautes températures; Georges Claude produisant l'air liquide et le faisant servir à de multiples usages. Encore les conquêtes que nous venons de mentionner ne sauraient-elles être considérées que comme les plus connues et les plus riches d'espérances parmi celles qui peuvent être légitimement attribuées à des Français.

Voici une liste d'autres noms empruntée à un livre récent de M. Henry Le Chatelier: "Réaumur, nous dit-il, imagine et Martin réalise la fabrication de l'acier fondu sur sole; Vicat crée l'industrie des produits hydrauliques; De Chardonnet invente la soie artificielle; Sainte-Claire Deville et Héroult découvrent et fabriquent l'aluminium; Daguerre, Niepce de Saint-Victor, Ducos du Hauron et les frères Lumière sont les auteurs incontestés de toute la photographie: noire et en couleur, plane et en relief. Dans l'art de la guerre, nos succès n'ont pas été moins brillants. Treuille de Beaulieu invente le canon rayé se chargeant par la culasse; de Reffye, la mitrailleuse; Vieille, la poudre dite sans fumée; Dupuy de Lôme, le cuirassé et Zédé, le sous-marin. Dans la création et le développement de l'automobile, de l'avion et de la télégraphie sans fil, notre rôle a de même été prépondérant." Ce sont là, comme disait M. Henry Le Chatelier, d'assez beaux fleurons à notre couronne pour nous permettre de porter haut la tête.

Sans doute pourrait-on se demander si notre pays, surtout au cours des soixante dernières années qui nous intéressent plus particulièrement, a su tirer tout le parti qu'il aurait pu des découvertes de ses savants et de ses ingénieurs. Industriellement, il s'est trop souvent laissé distancer par ses voisins chez qui se développaient des inventions qui avaient pris naissance en France. Ainsi les essais de Charles Tellier sur la conservation des denrées alimentaires par le froid n'ont reçu chez nous aucun encouragement, et le "Père du Froid" s'est éteint dans une gêne voisine de la misère alors que ses idées, reprises à l'étranger, faisaient la fortune des Compagnies de navigation anglo-américaines. L'exemple de Charles Tellier ne serait malheureusement pas le seul que l'on pourrait donner du manque de compréhension et d'audace de nos industriels. M. Henry Le Chatelier a rappelé que, pendant la guerre, les Allemands nous ont bombardés avec des canons en acier de l'ingénieur français Martin et avec la poudre sans fumée découverte par Vieille. Au cours d'une conversation, le Dr. Carrel déclarait assez justement: "Pour la nouveauté, la profondeur des conceptions, les Français sont supérieurs à toutes les autres nations, mais ils ne sont pas des réalisateurs, ils sont des individualistes anarchiques."

A. Boutaric, *Les Grandes Inventions françaises*, Les Éditions de France, Paris

Notes

Blaise Pascal

1. **Essai sur les coniques:** In this work on the conic sections Pascal laid down a series of propositions which he had himself discovered " of such importance that they may be said to form the foundations of the modern treatment of that subject."

2. **machine arithmétique:** a computing machine which he constructed to assist his father, whose work required long and laborious calculations.

3. **De l'équilibre des liqueurs** and **De la pesanteur de l'air:** Descartes and Torricelli had suggested the principle of the barometer, but Pascal's experiments were the first complete demonstration of the fact that " the height of a mercury column in a barometer decreases when it is carried upward through the atmosphere."

4. **jansénisme:** The doctrines of Jansenius (Cornelius Jansen) are to be found in the famous *Augustinus*, in which he reinterprets, in a most rigorous manner, the doctrines of St. Augustine. Jansenius asserted that only a small number of an " élite " were predestined to receive divine grace. According to this belief, there is no free will. Those doomed to be damned cannot escape their fate, no matter how virtuous a life they may lead on earth.

5. **Provinciales:** These letters deal with theological ques-

tions. Pascal defended the doctrines of Jansenius and Arnauld against the theologians of the Sorbonne with an inimitable irony and logic.

6. **qu'il n'en eût trouvé une raison qui pût le satisfaire:** 'until he found a reason which could satisfy him.'

7. **Mais quand l'univers l'écraserait:** 'But if the universe were to crush him.'

8. **nous ne saurions remplir:** 'we cannot fill.'

9. **Travaillons donc à bien penser:** Pascal has so impregnated French culture with his ideas that it would indeed be difficult to find a first-rate French writer who has not been influenced by him. Occasionally, as in the case of Renan, Pascal is reproduced almost verbatim without the customary quotation marks (see note 11). Henri Poincaré ends his *La Valeur de la science* with the following: "Tout ce qui n'est pas pensée est le pur néant; puisque nous ne pouvons penser que la pensée et que tous les mots dont nous disposons pour parler des choses ne peuvent exprimer que des pensées; dire qu'il y a autre chose que la pensée, c'est donc une affirmation qui ne peut avoir de sens . . . Et cependant — étrange contradiction pour ceux qui croient au temps — l'histoire géologique nous montre que la vie n'est qu'un court épisode entre deux éternités de mort, et que, dans cet épisode même, la pensée consciente n'a duré et ne durera qu'un moment. La pensée n'est qu'un éclair au milieu d'une longue nuit. Mais c'est cet éclair qui est tout." Poincaré's words seem almost to have come from Pascal's pen.

10. **Que l'homme contemple:** 'Let man contemplate.'

11. **au prix de:** 'in comparison with.' It is interesting to compare Pascal's sentence with the following from Ernest Renan's *L'Avenir de la science:* "Nous avons beau enfler nos conceptions, nous n'enfantons que des atomes au prix de la réalité des choses."

12. **C'est une sphère infinie . . . nulle part:** This comparison is very famous. It was very common during the Middle

Ages, and has been attributed to Empedocles and Hermes Trismegistus. It is believed that Pascal had read Mlle de Guernay's preface to the *Essais* of Montaigne, which has the following: " Trismégiste appelle la Déité cercle dont le centre est partout, la circonférence nulle part."

13. **et puis plus**: ' and then no more.'

14. **altezza**: Pascal's text has *altessa*. The *altezza* reading is found in Galileo.

15. **limitatissima**: Galileo had found that he could pump water up to a height of about 33 feet, but that the water obstinately refused to rise any higher. He therefore called this height the " fixed elevation " (*questa è la misura dell'altezza limitatissima* — this is the measure of the fixed elevation). He believed that this fixed elevation is true for any quantity of water whatever, " be the pump large or small or even as fine as a straw."

16. **Puy-de-Dôme en Auvergne**: Before Pascal, the rising of mercury in the Torricelli tube was offered as proof of the fact that " nature abhors a vacuum." Pascal suggested that the vacuum experiment be performed, several times on the same day, with the same mercury, at the base and at the summit of the Puy mountain. This was done and repeated several times on September 19, 1648. At the base, the mercury remained at a height of 26 inches 3 lines (a line equals .0833 or $^1/_{12}$ of an inch), while at the summit (3000 feet above the first station) the reading showed 23 inches 2 lines. Pascal thus disproved the Aristotelian notion that " nature abhors a vacuum " and at the same time perfected the Torricelli method of measuring height by the use of a barometer, which today is invaluable for aviation.

17. **Qu'on rende raison**: ' Try to explain.'

18. **Pourquoi**: All these questions are answered by Pascal's principle that " the height of a mercury column in a barometer decreases when it is carried upward through the atmosphere."

19. **sinon**: ' if they cannot.'

René Descartes

1. **la condamnation:** This refers to the year 1632, when Galileo was summoned to Rome a second time (the first was in 1616) and was compelled to renounce his belief in the earth's motion.

2. **la scolastique:** 'Scholasticism' is a term used to describe the doctrines of the schoolmen and the theologians between the years 1000 and 1500 A.D. These doctrines were based upon an almost blind acceptance of the teachings of Aristotle and the early Christian Fathers. The term connotes a narrow sort of speculation which is divorced from observation and experience.

3. **aux idées de Newton:** Newton has achieved immortal fame because of his discovery of the basic law of gravitation. By this law he was able to explain the movement of the planets in their orbits.

4. **la guerre de Trente Ans:** The 'Thirty Years' War' (1618–1648) was a general European war fought mainly in Germany.

5. **pour ce faire:** The expression *pour faire cela* is more common.

6. **ait fourni:** *Attendre que* meaning 'to wait until' is always followed by the subjunctive mood.

7. **tourbillons:** Descartes believed that matter was composed of vortices or whirlpools, the lighter portions of matter forming the real vortex, and the heavier portions "floating" within. This theory gained wide acceptance for many years, but is now merely an interesting relic in the museum of scientific literature.

8. **que:** Replace by the more modern form *sans que.*

9. **jusques à:** Replace by the more modern form *jusqu'à.*

10. **Les bêtes-machines:** This theory of Descartes provoked a bitter controversy in the field of letters for many years. Pascal, Mme de Sévigné, La Fontaine, and others in-

dignantly rejected this unfeeling theory, which in their eyes was repugnant to man's finer instincts.

Pierre Fermat

1. **Nul n'ignore:** 'Everybody knows.'

2. **des terres . . . lui venant de famille:** The verb *venir* also denotes origin. The expression found in our text is somewhat rare and belongs to the following type: *Ce bien lui est venu de famille* ('This property was a family inheritance'). It is much more usual to find the possessive adjective before the noun, as, for example, *Ce mobilier lui vient de sa mère* ('He inherited this furniture from his mother').

3. **le plus célèbre de ces théorèmes:** This theorem states that there are no whole numbers which will satisfy the statement that the sum of the *n* powers of two whole numbers is equal to the *n* power of a third whole number, except when *n* equals 2. This impossibility has been proved for all values of *n* up to 100 (and a few beyond), but there exists no general proof that the statement is universally true.

Jean d'Alembert

1. **Il n'en continuait pas moins:** 'He continued none the less.'

2. **il se fût trouvé . . . s'il n'eût été:** The pluperfect subjunctive is frequently used to replace a past conditional or a pluperfect indicative. Here *fût* is used for *serait*, and *eût* for *avait*.

3. **n'étant rien moins que nouvelles:** 'being anything but new.'

4. **les arts libéraux:** During the Middle Ages seven branches of study were recognized as 'liberal arts,' the trivium (grammar, logic, and rhetoric) and the quadrivium (arithmetic, music, geometry, and astronomy).

5. **la fusée:** a wheel upon which the chain is wound and by means of which the power of the mainspring is equalized.

6. **échappement:** ' escapement,' a mechanical device used in timepieces to secure a uniform movement.

7. **répétition:** Repeaters are striking watches which can be made to strike the hours, the quarters, or the minutes. In the eighteenth century, a handle, when pressed, wound the striking mechanism.

8. **il est:** frequently used to replace the more common *il y a*.

Antoine-Laurent Lavoisier

1. **la Terreur:** The ' Reign of Terror ' is the name given to the period between the fall of the Girondins (May 31, 1793) and the fall of Robespierre (July 27, 1794). It was marked by a bloody series of executions.

2. **la phlogistique:** Georg Ernst Stahl (1660–1734) is credited with the famous phlogiston theory. Phlogiston was supposed to be the inflammable principle in matter which metals lost as a result of combustion.

3. **l'oxydation:** Oxidation, since Lavoisier, is a combination of any substance with the oxygen in the air. This combination takes place at the time of combustion. If the substance is a metal, the resulting oxygen compound is called an oxide.

4. Lavoisier's work *Mémoire sur la respiration des animaux* (1789) was highly original and entitles him to an important place as a pioneer in the science of physiology.

André-Marie Ampère

1. **la théorie cinétique:** The kinetic theory of heat is the theory that heat is due to the motion of particles of matter. These particles of matter, called molecules, are believed to be in continual motion.

2. **l'estime de Delambre:** Ampère attracted Delambre's attention in 1802 when he wrote his *Considérations sur la théorie mathématique du jeu.* The object of Ampère's book was to show mathematically that in the long run the persistent gambler must lose his money.

3. **le calcul des variations:** 'the calculus of variations.'

4. **l'Institut:** an abbreviation for *Institut de France.* It was organized in the year III of the Republic (1795) and consists of five academies: Académie Française, Académie des Inscriptions et Belles-Lettres, Académie des Sciences Morales et Politiques, Académie des Sciences, Académie des Beaux-Arts.

5. **Œrsted:** The pioneer discovery of the magnetic effect of the electric current was made by Oersted at Copenhagen in 1820. While experimenting with battery currents, he happened to bring a compass needle near a wire in which an electric current was passing, and noted that the needle was deflected.

6. **galvaniques:** so called because of Galvani's experiments on developing electricity in animal substances by means of a metallic conductor. In 1789 Galvani had attributed the convulsions of a frog he had dissected and placed on an iron balcony rail as due to the presence of a fluid in the frog. Volta later proved that this fluid didn't exist, and that the convulsions of the frog indicated the presence of electrical phenomena. As a result of his research Volta constructed the voltaic pile or cell, the ancestor of the modern battery.

7. **électrons planétaires:** a modern theory, developed by Rutherford about 1910, according to which we are to imagine the atom as a kind of planetary system, inasmuch as the electrons rotate about the positive nucleus in the same way as the planets about the sun.

8. **l'état supraconducteur:** Kamerlingh Onnes (1853–1926) liquefied helium and found that resistance to an electric current passing through a metal apparently disappears if the metal is reduced to the temperature of liquid helium.

9. **Coulomb** had shown that Newton's law of inverse squares was as true for electric and magnetic attractions and repulsions as it was for gravitation. Laplace and Poisson supplied the mathematical proof for this.

10. **aiguilles astatiques:** a pair of compass needles of equal magnetic moment connected rigidly together with their poles in opposite directions, one vertically below the other.

11. **l'hypothèse d'Avogadro:** Avogadro's law states that at the same temperature and pressure equal volumes of gases contain equal numbers of molecules.

12. **la discussion ouverte entre Cuvier et Geoffroy Saint-Hilaire:** In 1830 there began the famous discussions between Cuvier and Saint-Hilaire. Cuvier had reduced all the animals of the earth to four principal classes, and had insisted that great catastrophic upheavals marked the separation between successive epochs. He considered each species as the fixed and invariable product of a single creation. Saint-Hilaire, on the contrary, followed Lamarck, one of the forerunners of the theory of evolution. He believed that there was an essential unity of plan, and that all life, animal and plant, had arisen through the slow processes of change from lower and more simple types of life.

13. **la baguette divinatoire:** The search for underground water or minerals by the use of a divining rod or dowser is an ancient form of divination which is still in common use.

14. **radiesthésie:** a recently coined word for the pseudo science of extrasensory perception. Believers in this science feel that it is possible to sense electromagnetic radiations. An offshoot of this theory is the " science " of mental telepathy. In the United States, the term " extrasensory perception " seems most appropriate, particularly since this term has been used in the widely publicized work of Dr. J. B. Rhine of Duke University.

15. **par l'anecdote que voici:** ' by the following anecdote.'

16. **le 5 nivôse:** The Republican calendar was established

by a decree of the National Convention in the year II (November 24, 1793). The calendar began with the Vendémiaire. The months were: January–February, *pluviôse* (the rainy month); February–March, *ventôse* (the windy month); March–April, *germinal* (the month of buds); April–May, *floréal* (the month of flowers); May–June, *prairial* (the month of meadows); June–July, *messidor* (the month of reaping); July–August, *thermidor* (the month of heat); August–September, *fructidor* (the month of fruit); September–October, *vendémiaire* (the month of vintage); October–November, *brumaire* (the month of fog); November–December, *frimaire* (the month of frost); December–January, *nivôse* (the month of snow).

17. **Tuileries:** one of the most important gardens in Paris. It was formerly the residence of the kings of France.

Jean-Baptiste de Lamarck

1. **espèce nouvelle:** Lamarck's theory of the inheritance of acquired characteristics has been rejected by most biologists because not a single proved and genuine instance of such inheritance has ever been discovered.

2. **la génération:** 'reproduction.'

3. **il en sera résulté:** 'the result will be.'

Lazare et Sadi Carnot

1. **l'organisateur de la victoire:** Lazare Carnot organized the fourteen armies of the Republic which helped the Convention save France from foreign invasion in 1793 and 1794.

2. **Wattignies:** a village in northern France, the scene of the French victory over the Austrians in 1793.

3. **la Convention:** The National Convention was a revolutionary assembly which succeeded the Legislative Assembly and governed the French Republic from September 21, 1792,

to October 26, 1795. It founded the École Normale, the École Polytechnique, the Institut de France, and many other excellent scientific and cultural institutions.

4. **les Cent-Jours:** the period between March 20, 1815, when Napoleon returned to Paris, and June 22, the date of his second abdication.

5. Although Lazare Carnot is chiefly known as a soldier, politician, and engineer, his mathematical works deserve attention. In his *Géométrie de position* and his *Métaphysique du calcul infinitésimal*, he gave entirely new theorems and helped lay the bases of analytical geometry.

6. **Une fois apaisées les passions politiques:** 'Once the political passions had spent themselves.'

7. **ordonnance:** At the fall of the empire in 1815, Lazare Carnot was stripped of his official functions. In 1816 his name and that of Monge were removed from the membership list of the Institut de France.

8. **Réflexions . . .:** The full title of Sadi Carnot's pamphlet was *Réflexions sur la puissance motrice du feu et les moyens propres à développer cette puissance.* It was about a hundred pages in length, and was printed in a limited edition at the author's own expense. In it Carnot formulated the famous basic principle of the science of thermodynamics, with which his name has become associated: "La puissance motrice de la chaleur est indépendante des agents mis en œuvre pour la réaliser; sa quantité est fixée uniquement par les températures des corps entre lesquels se fait en dernière analyse le transport de calorique." Joule in England and Meyer in Germany continued Carnot's work as he himself had outlined it.

9. **l'énergétique:** 'energetics,' the name given to a physical theory advanced by Duhem and Ostwald, which considers in phenomena only the measurable manifestations, without taking into account the real nature of things. Duhem, for example, was extremely skeptical about the existence of atoms and molecules.

François Arago

1. **Aussitôt sorti:** 'As soon as he had left.'

2. **l'arc du méridien:** By means of terrestrial meridians, the longitude of places on the earth's surface is reckoned east and west of Greenwich, England, which is zero.

3. **polarisation colorée:** Arago's work was an extension of the wave theory of Huygens (1629–1695). The latter introduced the notion of an ether, and explained that a light ray, coming to the earth from the sun, is a series of vibrations of successive molecules of the ether. Arago constructed his polariscope and by means of it discovered the gaseous composition of the sun.

4. **magnétisme par rotation:** Arago at first collaborated with Ampère in studying Oersted's experiment in 1820. Later he discovered independently the principle of magnetization by means of currents as well as the theory of magnetism by rotation. Arago's work helped Faraday in his work on induction currents. Faraday induced an electric current in a coil of wire by thrusting into it a powerful magnet. This magnet-and-coil combination is the forerunner of the modern dynamo.

5. **Bureau des Longitudes:** 'Board of Longitudes.' This board was established in 1795 and still publishes each year an *Annuaire* which gives weather reports, meteorological data, etc.

Les Inventions (pages 62–71)

1. **a-t-il:** *Sans doute*, like *aussi* and *encore*, may be followed by the interrogative word order.

2. **la mélinite:** a very powerful explosive which was used during the World War. It has a picric acid base.

3. **pour ingénieuse qu'elle soit:** 'no matter how ingenious it may be.'

4. **Bienfaisant concours que celui**: 'How beneficial is the aid.'

5. **Langevin**: Paul Langevin (1870–) is one of the greatest living French physicists. About 1920, he perfected a device which permits ships to detect instantly the presence of an obstacle and to ascertain immediately the depth of the sea.

6. **interférence**: In physics, interference is the effect produced by the combination, under certain conditions, of two sets, systems, or trains of waves of any kind, in which these waves either reinforce or annul each other. Gabriel Lippmann (1845–1921) obtained excellent photographs of the colors of the spectrum in 1894 by means of interferences of stationary waves.

7. **Deprez**: In 1882, Deprez demonstrated the first successful long-distance (35 miles) transmission of power by wire.

8. **Gay-Lussac** discovered that, when kept at a constant pressure, a gas expands when heated, and that the change in volume is proportional to the rise in temperature.

Claude Bernard

1. **Alfort**: a famous veterinary school near Paris.

2. **mal hideux**: 'glanders,' a very contagious disease of horses.

Louis Pasteur

1. **1.726**: In French, numbers over a thousand are written either with a period, as here, or with a space. Consequently, decimals are indicated by commas, as in ,5 *mm*.

2. **vaccinale**: The vaccination, if performed within a day or so of the bite, prevents the virus from invading the nervous system.

3. **Sébastopol**: an allusion to the Crimean War (1854–1856), a war between Russia and Turkey. Turkey was aided

by France, Great Britain, and Sardinia. The famous battle of Balaklava in this war inspired Tennyson's " The Charge of the Light Brigade."

4. **1822**: Pasteur evidently made a slip when he gave the date as 1822. The date of Oersted's experiment was February 15, 1820. His treatise, *Expériences sur l'effet du conflit électrique sur l'aiguille aimantée*, was dated July 20, 1820.

5. **l'interlocuteur . . . n'eût-il pas dit**: ' might not Franklin's interlocutor have well said.'

Marcellin Berthelot

1. **thermochimie**: 'Thermochemistry ' is that branch of chemistry which deals with energy changes associated with chemical reactions. It is synonymous with chemical thermodynamics.

2. **Richi**: ' rishi,' one of the patriarchs or wise men of India. He is supposed to be a supernatural being of a perfect holiness. The writings of the Hindus depict him as having a semidivine, semihuman physiognomy.

Ferdinand de Lesseps

1. **Mon entreprise est encore dans le maquis**: The expression *dans le maquis* is rarely used in this sense. The clause may be rendered by ' my plans are still meeting great difficulties ' or ' I am still up against it.'

Henri Poincaré

1. **le fameux tournoi**: In 1885 King Oscar II of Sweden announced that on January 21, 1889, he would award prizes for the most important discovery in the field of higher mathematical analysis. After the many papers which had been submitted by mathematicians from many countries had been

judged, the two sealed papers containing the names of the successful contestants were opened. It was found that Henri Poincaré had won the first prize.

2. **Boyle-Mariotte:** Robert Boyle discovered the law which bears his name. He showed that the volume occupied by a gas varies inversely as the pressure when the temperature is constant. In France the law is called " la loi de Mariotte " because Mariotte was the first to bring Boyle's law to the attention of French scientists.

3. **Gay-Lussac:** See page 186 (Les Inventions, note 8).

4. **le savant crée le fait:** E. Le Roy, who was a pupil of Poincaré, gained a considerable reputation as a philosopher and physicist. He believed that science was artificial and that scientific laws were conventions agreed upon by scientists for convenience' sake. He also held that the only importance of these laws was in the inventions and discoveries they helped effect.

5. **se fût produite:** See page 179 (Jean d'Alembert, note 2).

6. **que répondre:** 'what to answer.' This belongs to the type: *Je ne sais que faire* ('I do not know what to do ').

7. **électrodynamomètre:** 'electrodynamometer,' an instrument used for measuring electrical force.

Joseph Bertrand

1. **Joseph Bertrand** (1822–1900) was a well-known mathematician. He was a child prodigy who received the degree of Docteur ès sciences when he was sixteen and became a member of the Académie des sciences at the age of thirty-one. From 1874 to 1900 he was permanent secretary of the Académie des sciences.

2. **tant soit peu:** ' no matter how little.'

Pierre et Marie Curie

1. **ès**: 'in the,' a contracted article for *en les*. This contraction is now restricted to names of degrees and a few names of places.

2. **sans vie**: In 1906 Pierre Curie was run over by a truck while he was crossing a Paris street.

3. **dût-elle**: 'even if she had to.'

4. **cette soutenance de thèse**: In order to receive the degree of Docteur ès sciences, it is necessary to present a major dissertation and to defend it successfully before the very critical Faculty of Sciences. Marie Curie chose as the subject for her thesis the study of the uranium rays. She found that the radiation of the uranium compounds was an atomic property. She suggested that the name "radioactivity" be given this new property of matter manifested by uranium and thorium, and that substances possessing this property be called radioelements.

5. **un hasard dont nous ne saurions profiter**: 'an accident by which we must not (cannot) profit.'

6. **Röntgen**: Wilhelm Konrad Röntgen (1845–1923) in 1895 noted the fluorescence of a barium platinocyanide screen. This radiation had the power of passing through various substances which were opaque to ordinary light, and also of affecting a photographic plate. In view of his uncertainty as to the nature of these rays, Röntgen called them X rays.

7. **quelle que fût la cause de cette dernière**: 'no matter what the cause of the latter might be.'

Henry Le Chatelier

1. **qu'il s'agît**: 'whether it is a question.'

2. **du corps noir**: In physics "black body radiation" is a radiation emitted by a body which is perfectly black, that is, by a body which is a perfect absorber and radiator.

3. **pyromètre optique:** A pyrometer is an instrument used to determine high temperatures at a distance from the hot body. Optical pyrometers are used for temperatures between 700° C. and 1500° C.

Auguste et Louis Lumière

1. **Gutenberg:** Johannes Gutenberg (1400–1468), the renowned German artisan, invented the art of printing in 1450.
2. **Montplaisir:** a district in Lyons.
3. **on ne peut plus mauvaises:** 'as bad as could be.'
4. **un espoir qui allait grandissant:** 'a hope which kept growing stronger.'
5. **plaques bleues:** They were called blue plates because of the blue trade labels which they bore. The process by which they were made is known as the dry collodion process. It was superior to the previously used wet process, which had to be applied at the time when the picture was taken, whereas the dry plates could be prepared in advance. Collodion is made by dissolving guncotton in a mixture of alcohol and ether.
6. **forfait:** The first performance brought in only 35 francs. However, in a few weeks, without any advertisement whatever, the average daily receipts amounted to 2500 francs.
7. **La Nature:** a weekly popular-science magazine founded by Gaston Tissandier in 1872.

Édouard Branly

1. **cohéreur:** an early form of detector used for the reception of signals in radio communication. Branly's coherer consisted of metallic filings loosely packed in a glass tube (*tube à limailles*) between suitable electrodes. When the electric oscillations from the receiving circuit passed, these filings "cohered" together and offered a low resistance to the pas-

sage of current into a local circuit which included a bell, a relay, or some other device.

2. **Le rouge monte au front:** ' We are ashamed.'

3. **électroscope:** an instrument used for detecting small electrical charges.

Georges Claude

1. **cheval:** In French a *cheval* or *cheval-vapeur* is based on the metric system and is equivalent to 75 kilogrammeters per second, or a little less than our foot-pound horsepower.

2. **électrodes:** the conductors by which, in electrolysis, the current is led into and out of the electrolyte.

3. **Canada:** Some of the natural gases, especially those of the United States and Canada, contain helium.

4. **Ramsay:** Sir William Ramsay (1852–1916) discovered argon (in collaboration with Rayleigh) in 1893. In search of possible sources of this substance, he investigated a " nitrogen " in 1895 and discovered that it was helium. He also isolated xenon, krypton, and neon.

5. **iront sans cesse en croissant:** ' will keep on increasing.'

M. et Mme Joliot-Curie

1. Frédéric Joliot, while working at the Radium Institute as a laboratory assistant under Marie Curie, became acquainted with Mme Curie's daughter Irène, who was employed in the same capacity. They were married in 1926, and in 1935 they were both awarded the Nobel Prize.

2. **sur lequel il ne peut rien:** ' against which he can do nothing.'

3. **en quoi que ce soit:** ' in any respect whatever.'

4. **Polonium:** In 1898 Marie Curie isolated this radioactive substance and named it polonium in honor of her native land (*la Pologne*).

5. **A ces variantes près:** ' Save for these variants.'

L'Aéronautique

1. **Il aurait effectué:** 'He is said to have made.'

2. **Tour Eiffel:** constructed in 1889 by the well-known French engineer Gustave Eiffel. It is 300 meters high.

3. **Quoi qu'il en soit:** 'Anyhow' ('Be that as it may').

4. **14 heures 55:** 2:55 P.M.

Biographical Glossary

Ader, Clément (1841–1925): French engineer; built the first flying machine.

Aristotle (384–322 B.C.): famous Greek philosopher; one of the greatest minds that ever lived. He was an oracle to philosophers during the Middle Ages. His works include *Rhetoric* and *Politics*.

Avogadro di Quaregna, Amadeo (1776–1856): Italian physicist after whom a law in chemical physics was named.

Barrès, Maurice (1862–1923): French novelist. He wrote *Les Déracinés*.

Becquerel, Henri (1852–1908): French physicist; discovered radioactivity.

Bernoulli, Daniel (1700–1782): author of *Traité d'hydrodynamique*.

Bernoulli, Jakob (1654–1705): Swiss mathematician.

Bernoulli, Johann (1667–1748): Swiss mathematician.

Berthollet, Claude-Louis (1748–1822): French chemist; discovered discoloring and bleaching properties of chlorine.

Bertrand, Joseph (1822–1900): famous French mathematician.

Bertrand, Marcel-Alexandre (1847–1907): French geologist.

Berzelius, Jöns Jakob (1779–1848): Swedish chemist.

Biot, Jean-Baptiste (1774–1862): noted French mathematician.

Black, Joseph (1728–1799): born in Bordeaux of Scottish extraction; defined fixed air (carbon dioxide).

Blériot, Louis (1872–1936): French aviator and constructor; flew across the English Channel in 1909.

Borda, Jean-Charles (1733–1799): French mathematician and sailor; his name was given to the vessel which housed the École Navale up to 1913.

Bouley, Henri-Marie (1814–1885): French physician.

Bourget, Paul (1852–1935): French writer; known for his penetrating psychological analyses; author of *Le Disciple*.

Broglie, Louis Victor de (1892–): brother of Maurice, duc de Broglie; distinguished physicist and a pioneer in wave mechanics.

Carrel, Alexis (1873–1944): distinguished French surgeon; won the Nobel Prize in 1912.

Cauchy, Augustin-Louis (1789–1857): famous French mathematician.

Cavendish, Henry (1731–1810): English physicist and chemist born in Nice; discovered the composition of water.

Chardonnet, Hilaire, comte de (1839–1924): French chemist and physicist; inventor of artificial silk.

Chasles, Michel (1793–1880): French mathematician; best known for his work in pure geometry.

Chateaubriand, François René, vicomte de (1768–1848): French writer whose *Génie du christianisme* and *René* made him the greatest writer of his time in France.

Chevreul, Marie-Eugène (1786–1889): French chemist.

Clerk-Maxwell, James (1831–1879): English physicist of the highest rank; formulated the hypothesis of the identity of electricity and light.

Coulomb, Charles-Auguste de (1736–1806): French physicist; author of well-known works on electricity.

Cuvier, Georges (1769–1832): French zoologist and paleontologist of the highest rank.

Daguerre, Louis-Jacques (1789–1851): French artist who perfected photography.

Darboux, Jean-Gaston (1842–1917): French mathematician.

Degerando, Joseph-Marie (1772–1842): distinguished French philosopher.

Delambre, Jean-Baptiste-Joseph (1749–1822): French astronomer; measured the arc of the meridian with Méchain.

Deprez, Marcel (1843–1918): French electrician and mathematician.

Despretz, César-Mansuète (1791–1863): French physicist; his books were adopted by the Council of Public Instruction.

Diderot, Denis (1713–1784): French philosopher; founded the *Encyclopédie* in 1751.

Ducos du Hauron, Louis (1837–1920): the first to effect color photography.

Duhem, Pierre (1861–1915): French physicist and mathematician; creator of " energetics " theory.

Dulong, Pierre-Louis (1785–1838): French physicist and chemist.

Dumas, Jean-Baptiste (1800–1884): French chemist; established the atomic weights of many elements.

Dupuy de Lôme, Stanislas (1816–1885): French naval engineer; built the first French armored battleship.

Edison, Thomas Alva (1847–1931): American inventor; invented the incandescent bulb and the phonograph.

Eiffel, Alexandre-Gustave (1832–1923): French engineer; builder of the Eiffel Tower, an iron tower 300 meters high, built in 1889 and now used as a radio station.

Einstein, Albert (1879–1955): German physicist; author of the relativity theory of time which modifies Newton's theory of gravitation.

Esnault-Pelterie, Robert (1881–1957): French aeronautical engineer and airplane manufacturer; invented the joystick control system; a pioneer in astronautics.

Euclid (about 300 B.C.): Greek mathematician famous for his *Elements*, a collection of theorems and problems which forms the basis of geometry.

Euler, Leonhard (1707–1783): one of the greatest of the Swiss mathematicians.

Faraday, Michael (1791–1867): English chemist and physicist; worked on induction currents and electrolysis.

Farman, Henri (1874–1934): French aviator and inventor; invented ailerons and the double-axle landing gear.

Farrère, Claude (1876–1957): French sailor and novelist; author of *La Bataille*.

Fermi, Enrico (1901–1954): well-known Italian physicist; Nobel Prize winner.

Fonck, René (1894–1953): well-known French aviator.

Foucault, Léon (1819–1868): French physicist.

Fourier, Jean-Baptiste-Joseph (1768–1830): French geometer.

Franklin, Benjamin (1706–1790): American statesman; invented the lightning rod.

Fresnel, Augustin-Jean (1788–1827): French physicist; famous for his work in optics and light refraction.

Galilei, Galileo (1564–1642): Italian astronomer and mathematician; constructed the first complete astronomical telescope.

Galliéni, Joseph-Simon (1849–1916): French general and administrator; governor of Paris in 1914; helped in the victory of the Marne.

Gauss, Karl Friedrich (1777–1855): German astronomer and mathematician.

Gay-Lussac, Joseph-Louis (1778–1850): French chemist and physicist of the highest rank.

Gerhardt, Charles (1816–1856): French chemist; published an improved classification of organic chemistry.

Gramme, Zénobe-Théophile (1826–1901): Belgian electrician and inventor.

Guillaume, Charles-Édouard (1861–1938): French physicist who discovered invar (metal).

Héroult, Paul (1863–1914): French metallurgist; inventor of the first practical steel-making furnace.

Hertz, Heinrich Rudolph (1857–1894): German physicist who discovered "Hertzian" waves.

Humboldt, Alexander von (1769–1859): German naturalist and traveler who wrote in French; author of *Cosmos, ou Description physique du monde.*

Joffre, Joseph-Jacques-Césaire (1852–1931): marshal of France; generalissimo of French armies (1914–1916); won the first battle of the Marne in September, 1914.

Jordan, Camille (1771–1821): French statesman.

Joule, James Prescott (1818–1889): English physicist; established important laws with reference to the mechanical theory of heat.

Kamerlingh Onnes, Heike (1853–1926): Dutch physicist; studied low temperatures and liquefied helium.

Kelvin: see Thomson.

La Fontaine, Jean de (1621–1695): famous author of fables.

Lagrange, Joseph-Louis (1736–1813): famous geometer, born in Turin, Italy, of French descent.

Laplace, Pierre-Simon, marquis de (1749–1827): French astronomer and mathematician; he has been called the "Newton of France" because of his work in celestial mechanics.

Legendre, Adrien (1752–1833): distinguished French mathematician.

Leibniz, Gottfried Wilhelm (1646–1716): famous German philosopher and scientist.

Lilienthal, Otto (1848–1896): famous German aviator.

Linde, Karl Paul G. von (1842–1934): German physicist who constructed the first industrial apparatus for the liquefaction of air.

Lippmann, Gabriel (1845–1921): French physicist; famous for his work in electricity and color photography.

Lucretius (about 98–55 B.C.): Latin poet; best known for his *On the Nature of Things* (*De Rerum Natura*).

Lulli, Jean-Baptiste (1632–1687): famous Florentine composer; creator of the French National Opera.

Magendie, François (1783–1855): French physiologist; best known for his work on the nervous system.

Maquenne, Léon (1853–1925): known for his work in biologic chemistry and plant physiology.

Marconi, Guglielmo (1874–1937): Italian inventor of wireless telegraphy.

Martin, Pierre (1824–1915): French engineer.

Mascart, Éleuthère (1837–1908): French physicist; did important work in atmospheric electricity and magnetism.

Maxim, Sir Hiram (1840–1916): English-American engineer and inventor; noted for his machine gun and his airplane.

Maxwell: see Clerk-Maxwell.

Méchain, Pierre-François-André (1744–1804): French astronomer; helped to establish the arc of the meridian and the metric system in conjunction with Delambre.

Meilhac, Henri (1831–1897): French dramatic author.

Mérimée, Prosper (1803–1870): French writer; author of *Colomba* and *Carmen*.

Millikan, Robert A. (1868–1953): American physicist; determined the charge of the electron.

Moissan, Henri (1852–1907): French chemist; created the electric oven; isolated fluorine.

Molière, pseudonym for Jean-Baptiste Poquelin (1622–1673): greatest French dramatist; author of *Le Tartuffe* and *Le Misanthrope*.

Monge, Gaspard (1746–1818): renowned French mathematician; one of the founders of the École Polytechnique; created descriptive geometry.

Montgolfier, Joseph (1740–1810) and Étienne (1745–1799): French inventors of aerostats (balloons).

Newton, Isaac (1642–1727): the greatest English scientist; discovered the basic law of gravitation.

Niepce, Nicéphore (1765–1833): French chemist; inventor of photography.

Niepce de Saint-Victor, Claude (1805–1870): invented photography on glass.

Nobel, Alfred (1833–1896): Swedish chemist; invented dynamite; founded the Nobel Prizes for literature, science, and philanthropy.

Ocagne, Maurice d' (1862–1938): French mathematician.

Oersted, Hans Christian (1777–1851): Danish physicist; discovered electromagnetism.

Paget, Sir James (1814–1899): English physiologist and surgeon.

Papin, Denis (1647–1714): French physicist; was the first to recognize the elastic power of steam.

Picard, Émile (1856–1941): French mathematician.

Poisson, Siméon-Denis (1781–1840): French mathematician.

Poncelet, Jean-Victor (1788–1867): French mathematician; famous for his work in pure geometry and applied mathematics.

Priestley, Joseph (1733–1804): English chemist and physicist; discovered oxygen, plant respiration, etc.

Ramsay, William (1852–1916): English chemist; discovered helium and argon.

Rayer, Pierre-François-Olive (1793–1867): French physician.

Réaumur, René-Antoine (1683–1757): French physicist and naturalist; inventor of the Réaumur thermometer.

Regnault, Henri-Victor (1810–1878): French physicist and chemist.

Röntgen, Wilhelm Konrad (1845–1923): German scientist who discovered X rays.

Rutherford, Sir Ernest (1871–1937): English physicist, born in New Zealand; best known for his work on radioactivity and the ionization of gases.

Sainte-Beuve, Charles-Augustin (1804–1869): famous French literary critic.

Sainte-Claire Deville, Henri (1818–1881): French chemist.

Saint-Hilaire, Étienne-Geoffroy (1772–1844): French naturalist.

Santos-Dumont, Alberto (1873–1932): Brazilian aviator.

Scheele, Karl Wilhelm (1742–1786): Swedish chemist; discovered chlorine and manganese.

Schutzenberger, Paul (1827–1897): French chemist; known for his work on alkaloid and albuminoid bodies.

Siemens, Friedrich (1826–1904): German engineer; developed the open-hearth process with Pierre Martin about 1867.

Tannery, Paul (1843–1904): French scientist; author of many works in the history of the sciences.

Tellier, Charles (1828–1913): French engineer; inventor of the method of refrigeration by means of liquefied ammonia.

Thiers, Adolphe (1797–1877): French statesman.

Thomson, William (1824–1907): known as Lord Kelvin; English physicist who is best known for his work on solar energy.

Vicat, Louis-Joseph (1786–1861): French engineer; discovered hydraulic cement and made improvements in the foundation of bridges.

Vieille, Paul (1854–1934): French engineer; inventor of smokeless powder.

Villard, Paul (1860–1934): French physicist; devised several important radiology instruments.

Viotti, Giovanni (1753–1824): Piedmontese violinist and composer.

Volta, Alessandro (1745–1827): Italian physicist who invented the voltaic pile (battery).

Voltaire, pseudonym for François-Marie Arouet (1694–1778): famous French writer and philosopher.

Vulpian, Alfred (1826–1887): French physician and physiologist.

Weber, Ernst Heinrich (1795–1878) and Wilhelm Eduard (1804–1891): two brothers who both became distinguished physicists.

Wright, Wilbur (1867–1912) and Orville (1871–1948): American pioneers in aviation.

Wurtz, Charles-Adolphe (1817–1884): French chemist; one of the creators of the atomic theory.

Vocabulary

ABBREVIATIONS

a.	adjective	*pl.*	plural
abbr.	abbreviation	*pp.*	past participle
adv.	adverb	*pr.p.*	present participle
def.	definite	*qu.ch.*	quelque chose
f.	feminine	*qu.un*	quelqu'un
indic.	indicative	*s.*	singular
interr.	interrogative	*s.o.*	someone
inv.	invariable	*sth.*	something
m.	masculine	*usu.*	usually
p.	past	*vb.*	verb

Quotation marks are occasionally used to indicate that the meaning given is specialized or rare.

A

à, to, in, at, from, for; **— ce point de vue,** from this point of view
abaissement, *m.*, lowering
abaisser, to lower, debase
abattre, to knock down, break, weaken
abhorrer, to abhor, loathe
abîme, *m.*, abyss, chasm
abolir, to abolish, suppress
abondant, *a.*, abundant, rich
abord, *m.*, approach; **d'—,** first, at first, in the first place; **tout d'—,** first of all
aborder, to approach, touch upon, broach, " deal with "
aboutir (à), to end (in), result (in)
aboutissement, *m.*, result, culmination
abréger, to cut short; **s'—,** to be brief, become shorter
abriter, to shelter
absolu, *a.*, absolute
absolument, absolutely
accabler, to overwhelm, crush
accès, *m.*, fit
accessoire, *a.*, accessory
accolé, *pp.*, coupled

accompli, *a.*, accomplished, perfect
accord, *m.*, agreement; **d'—,** in agreement
accorder, to grant, accord
accouder: s'—, to lean on one's elbows; *pp.*, "leaning"
accrocher, to run into, catch by hooking, cling to, follow closely
accroissement, *m.*, increase
accroître, to increase
accru, *pp.*, enlarged, increased
accueil, *m.*, reception, welcome
accueillir, to welcome, receive
accuser, to accuse, "show"
acétone, *f.*, acetone (*a colorless liquid related to acetic acid, but containing less oxygen*)
acharné, *a.*, rabid, bitter, desperate
achat, *m.*, purchase
acheter, to buy, purchase
achever, to complete; **— de faire qu.ch.,** to finish doing sth.; *pp.*, **achevé,** over, finished
acier, *m.*, steel
acquérir, to acquire
acquis (*pp. of* **acquérir**), acquired, "known"
acquit: par — de conscience, for conscience' sake, to settle his conscience
acrobatie, *f.*, acrobatics; *pl.*, trick flying (*aviation*)
actuel, *a.*, present, present-day, of the present day, modern
actuellement, at the present time, now
additionner, to add, mix; **— de,** to mix with
adhésion, *f.*, adhesion, adherence
adjoindre, to join
admettre, to admit, accept, assume
admirateur, *m.*, admirer
admis (*pp. of* **admettre**), accepted
adoptif, *a.*, adopted, adoptive
adosser: s'— à, to lean with one's back against
adresse, *f.*, skill
adversaire, *m.*, adversary
affaibli, weakened
affaiblissement, *m.*, weakening
affaires, *f.pl.*, business; *see* **entendre**
affecter, to pretend
affectif, *a.*, affective, emotional
affligeant, *a.*, painful
affluence, *f.*, crowd; **heures d'—,** busy hours
affranchir: s'—, to free oneself
affranchissement, *m.*, emancipation
affreux, *a.*, frightful, awful
afin: — de, in order to; **— que,** so that
âge, *m.*, age; *see* **moyen**
âgé, *a.*, old, aged; **— de huit ans,** eight years old
agir, to act; **s'— de,** to be a question of
agiter, to agitate, disturb, excite; *pp.*, "in movement"
agrandir, to enlarge
agricole, *a.*, agricultural
aide, *m.*, assistant; *f.*, aid, help
aider, to aid, help
aigu, *a.*, keen, sharp
aiguille, *f.*, needle
aiguillon, *m.*, goad

aileron, *m.*, aileron, wing flap (*aviation*)
ailleurs, elsewhere; **d'—,** besides, moreover
aimant, *m.*, magnet
aimantation, *f.*, magnetization
aimanter, to magnetize; *pp.*, magnetized, magnetic
aimer, to like, love
aîné, *a.*, elder, eldest
ainsi, thus, in this way, just as; **— que,** as well as; **et — de suite,** and so forth, et cetera; **pour — dire,** so to speak
air, *m.*, air; **— vital,** oxygen
aisé, *a.*, easy; **—ment,** easily
ajouter, to add
alaire, *a.*, wing, wing span (*aviation*)
alchimiste, *m.*, alchemist (*early chemist who was chiefly interested in transmuting the baser metals into gold*)
aliment, *m.*, food, foodstuff
alimentaire, *a.*, alimentary, food
alimenter, to feed, supply
alité, *pp.*, confined to one's bed
aliter: s'—, to take to one's bed
allée, *f.*, walk, lane
allégresse, *f.*, gladness, joy
alléguer, to advance (*a proof*)
Allemagne, *f.*, Germany
allemand, German
aller, to go; *with pr.p. of verb following* to keep (on) . . . ; **s'en —,** to go away
alliage, *m.*, alloy
allié, allied; *m.pl.*, allies
allumer, to light
allure, *f.*, pace, rate, speed, aspect, appearance
alors, then, at that time, well; **— que,** while, whereas
alternatif, *a.*, alternating
altezza limitatissima, *Italian for* " fixed elevation "
aluminium, *m.*, aluminum
amaigrir: s'—, to grow thin
ambassade, *f.*, embassy
ambiance, *f.*, atmosphere, environment
ambiant, *a.*, surrounding
âme, *f.*, soul
amélioration, *f.*, improvement
améliorer, to improve
aménager, to equip
amène, *a.*, agreeable
amener, to bring, lead, cause, induce
amer, *a.*, bitter
ami, *m.*, friend; *a.*, friendly
ammoniac: gaz —, ammonia
ammoniaque, *f.*, ammonia
amour, *m.*, love
ample, *a.*, full, ample
ampoule, *f.*, bulb
an, *m.*, year
analyse, *f.*, analysis; **— infinitésimale,** differential calculus
anarchique, *a.*, anarchic, "individualistic"
ancêtre, *m.*, ancestor
ancien, *a.*, old, former, ancient; *m.pl.*, the ancients
ange, *m.*, angel
Angleterre, *f.*, England
aniline, *f.*, aniline (dye)
animer, to animate; **s'—,** to come to life
année, *f.*, year
annexe, *f.*, annex, appendage, accessory part

annoncer, to announce; **s'—,** to appear, give promise
annuaire, *m.*, yearbook, bulletin
antérieur, *a.*, anterior, prior, earlier
antique, *a.*, ancient
aorte, *f.*, aorta
août, *m.*, August
apanage, *m.*, prerogative, domain
apercevoir, to perceive, notice; **s'—,** to notice; **s'— de,** to notice
apothéose, *f.*, deification, "grand finale"
apôtre, *m.*, apostle
apparaître, to appear
appareil, *m.*, apparatus, plane (*aviation*)
appartenir, to belong
appel, *m.*, call, appeal
appeler, to call
application, *f.*, diligence, industry, application
appliqué, "in close contact"
appliquer, to apply; **s'— à,** to apply oneself to
apport, *m.*, contribution
apporter, to bring, introduce
apprécier, to estimate, determine, appreciate
apprendre, to learn, teach
apprenti, *m.*, apprentice
apprêts, *m.pl.*, preparations (*for a journey*)
apprit: il —, he learned (**apprendre**)
approbation, *f.*, consent, approval
approché, *a.*, approximate
approcher, to approach; **s'— de,** to approach
approfondi, *a.*, thorough
approximativement, approximately
appui, *m.*, support
appuyer, to support; **s'— sur,** to rely on (upon)
après, after; **d'—,** according to; **—-guerre,** *s. m.*, *inv. in pl.*, postwar period or conditions; **— coup,** afterwards
après-midi, *m.*, *or f.*, afternoon
arcbouté, *a.*, propped up
arc-en-ciel, *m.*, rainbow
ardeur, *f.*, passion, ardor, zeal
argent, *m.*, money, silver
aride, *a.*, arid, dry
armature, *f.*, armament
arme, *f.*, arm, weapon; *see* **carrière**
armé, *a.*, reinforced
arracher, to tear; **— à,** to tear from, extort (draw) from
arranger, to arrange; **ils s'arrangeront,** they will manage
arrêt, *m.*, pause, stopping
arrêter, to stop; **s'—,** to stop
arrière, *m.*, back, rear
arrivée, *f.*, arrival
arriver, to arrive, happen, reach; **— à faire qu.ch.,** to succeed in doing sth.
artère, *f.*, artery
artisan, *m.*, artisan, craftsman
as, *m.*, ace (*aviation*)
aspérité, *f.*, roughness, crabbedness (*style*)
asphyxier, to asphyxiate
aspirant, *a.*, sucking, suction (pump)
assembler, to assemble, collect
asseoir: s'—, to sit down
assez, enough

assidûment, assiduously
assis, assise (*pp. of* **asseoir**), seated
assistance, *f.*, audience
assistant, *m.*, assistant; *usu. pl.*, spectators, those present
assister à, to be present at, witness, attend
association, *f.*, partnership
assuré, *a.*, certain, assured
astatique, *a.*, astatic; *see note 10 on André-Marie Ampère*
astre, *m.*, star, heavenly body
astreindre, to tie down
astronome, *m.*, astronomer
astuce, *f.*, astuteness
atelier, *m.*, workshop, shop
athéisme, *m.*, atheism
atomisme, *m.*, atomic theory
atroce, *a.*, horrible
attarder: s'—, to tarry, stop
atteindre, to reach, attain; *pp.*, stricken
atteinte, *f.*, reflection, slur; *pl.*, attacks, effects
attendre, to wait for, expect; **— que**, to wait until
attente, *f.*: **salle d'—**, waiting-room
atténuer, to lessen, attenuate, weaken
atterrissage, *m.*, landing (*aviation*); **train d'—**, landing gear
attester, to attest, prove
attirer, to attract, " draw over "; **s'—**, to incur
attrait, *m.*, charm, attraction
attribuer, to attribute
aube, *f.*, dawn
aucun, any, any one; **— . . . ne**, no; **ne . . . —**, no
audace, *f.*, boldness, daring
audacieux, *a.*, audacious, bold, daring
au-dessus, above (it); *see* **dessus**
auditeur, *m.*, listener
auditoire, *m.*, audience
augmentation, *f.*, increase
augmenter, to increase
aujourd'hui, today
auparavant, previously, before
auprès: — de, near, with; **— d'elle**, to her side
aurait: il —, he would have, he is supposed to have
aurore boréale, *f.*, aurora borealis, northern lights
aussi, as, also; *with interr. word order usually* therefore, hence
aussitôt, immediately, at once; **— que**, as soon as; **— sorti**, no sooner had he left
autant, as much, as many, the same, just as much, so many; **d'— moins**, so much the less so; **— que possible**, as much as possible; *see* **faire**
auteur, *m.*, author
autobus, *m.*, bus
autodidacte, *m.*, self-taught person
autogène, *a.*, autogenous; *see* **soudure**
autorité, *f.*, authority; **d'—**, with authority, authoritatively
autour de, around
autre, *a.*, other, different
autrefois, formerly
autrement, differently, otherwise; **— dit**, in other words
Autriche, *f.*, Austria
autrichien, *a.*, Austrian
Auvergne, *f.*, *former province of France; today it forms the de-*

partments of Puy-de-Dôme and Cantal
Auvours, *in the department of Sarthe, not far from le Mans, southwest of Paris*
avaler, to swallow
avance: d'—, in advance; **à l'—,** in advance
avant, before; **— de,** before; **plus —,** more deeply; **en —,** forward; **—-garde,** *f.*, vanguard
avantage, *m.*, advantage
avant-guerre, *s. m.*, prewar period
avare, *m.*, miser
avec, with
avènement, *m.*, advent
avenir, *m.*, future
averti, *m.*, expert, experienced man
aveu, *m.*, consent, acknowledgment, confession, admission, wish
aveugle, *a.*, blind
aveugler, to stop up
avidement, avidly, eagerly, greedily
avilir, to degrade, debase
avion, *m.*, airplane, plane
avis, *m.*, opinion, notice
avisé, *a.*, intelligent
avocat, *m.*, lawyer
avoir, to have; **— beau faire qu.ch.,** to do sth. in vain; **nous avons beau enfler nos conceptions,** it is useless for us to swell our concepts; **il y a,** there is, there are, ago; **— un succès,** to be a success; *see* **lieu, raison, trait**
avouer, to confess
axe, *m.*, axis
ayant, *pr.p. of* **avoir**
azote, *m.*, nitrogen
azotique, *a.*, nitric

B

Bagatelle, *just outside the Bois de Boulogne; now a part of the city of Paris*
baguette, *f.*, wand, rod
baigner, to bathe
baisse, *f.*, drop
balai, *m.*, broom; **manche à —,** joystick
balance, *f.*, scales
balbutiant, *a.*, stammering, inarticulate (*in speech*)
balle, *f.*, bullet
ballon, *m.*, balloon, balloon flask
bande, *f.*, belt (*of land*)
baraque, *f.*, shanty
baraquements, *m.pl*, camp of huts, lodging, barracks
barre, *f.*, bar
barrière, *f.*, gate
baryum, *m.*, barium
bas, *a.*, low, base
base, *f.*, basis, foundation
baser, to base
bastion, *m.*, bastion, fortification
bataille, *f.*, battle
bâtiment, *m.*, building, ship
battement, *m.*, beat, beating, pulsation
battre, to beat, " break "; **— son plein,** to be at its height
bave, *f.*, foam (*of horse, of mad dog*)
beau, *a.*, beautiful, fine; *see* **avoir**
beaucoup, a great deal, much; **de —,** by far
beau-père, *m.*, father-in-law
bec, *m.*, burner, jet
bel et bien, entirely

Belgique, *f.*, Belgium
belliqueux, *a.*, warlike
bénéfice, *m.*, profit, gain, reward
bénisseur, *m.*, one who is all fair words
besogne, *f.*, task, trouble, care; *pl.*, drudgery
besoin, *m.*, need
bête, *f.*, animal
bibelot, *m.*, knickknack
bibliothèque, *f.*, bookcase, library
bien, rather, much, indeed, well; *adv.*, many; **— que,** although; **— entendu,** of course; **— plus,** nay more; *as noun, m.*, good
bien-être, *m.*, well-being
bienfaisant, *a.*, beneficial
bienfait, *m.*, service
bienfaiteur, *m.*, benefactor
bien-fondé, *m.*, cogency, justice, reasonableness
bientôt, soon
bienveillance, *f.*, kindness
bière, *f.*, beer
bilan, *m.*, balance sheet; **— de transmutation,** table of transmutations
biplan, *m.*, biplane
biréfringence, *f.*, double refraction
bitume, *m.*, bitumen, pitch
blanc, *a.*, white
blessure, *f.*, wound
blindage, *m.*, sheeting; **plaque de —,** armor plate
bloc, *m.*, block; **en —,** as a whole
bobine, *f.*, spool
bois, *m.*, wood
boit: il —, he drinks (**boire**)
boîte, *f.*, box
bon, *a.*, good; **la —ne femme,** the old lady
bonbonne, *f.*, bottle (*for gas*)
bond, *m.*, leap, jump; *pl.*, leaps and bounds
bonheur, *m.*, happiness; **par —,** fortunately
bonjour, good day
bonnement: tout —, simply
bord: à —, on board
border, to border, fringe
Bordighera, *Italian town near San Remo*
bore, *m.*, boron
bosse, *f.*, hump, bump
botanique, *f.*, botany
bouche, *f.*, mouth, " lips "
bouché, *a.*, plugged up, closed, stopped up, sealed
bouclé, *a.*, curly
bougie, *f.*, candle, candle power
bouillonnement, *m.*, boiling, seething
bouillonner, to boil, seethe
boulet, *m.*: **— de canon,** cannon ball
bouleverser, to upset, " revolutionize "
bouquin, *m.*, book
bourgeoisie, *f.*, bourgeoisie; **bonne —** good social standing
Bourget, le, *the best-known French airport, just outside Paris*
bourreau, *m.*, executioner
boussole, *f.*, compass
bout, *m.*, end, tip; **à — portant,** pointblank
boutade, *f.*, sally, flash of wit, quip
bouteille, *f.*, bottle
bras, *m.*, arm

brasser, to stir
brasserie, *f.*, brewery
brèche, *f.*, breach, gap
bredouille, *a.*, "empty-handed," staggering
bref, *a.*, short, brief; *adv.*, in short
brevet, *m.*, patent
breveter, to patent
briller, to shine
briser, to break, shatter
brochure, *f.*, pamphlet
bromure, *m.*, bromide
brosse: en —, (hair) cut short
brouillard, *m.*, fog
bruit, *m.*, noise
brûler, to burn
brumaire, *m.*, *second month of the French Republican calendar (October–November)*
brusquement, suddenly
brut, *a.*, crude; **le fait —,** the crude fact, the "fact in the rough"
bruyant, *a.*, noisy
bureau, *m.*, office, desk
but, *m.*, aim, purpose, end; **dans un — quelconque,** with some aim

C

cabinet de travail, *m.*, study
cacher, to hide
cadavre, *m.*, corpse
cadet, *a.*, younger, youngest
cadran, *m.*, dial
cadre, *m.*, framework, limits, antenna, "role"
caduc, caduque, worn out, frail
caillou, *m.*, pebble
Caire, le, Cairo
calcination, *f.*, calcination (*an old term for oxidation of metals*)
calcul, *m.*, calculus, calculation
caler, to wedge up, prop up
calibre, *m.*, bore, caliber (*of gun*); **à plein —,** "coursing"
calme, *m.*, calm, respite
calorifique, *a.*, thermal, heat
calorique, *m.*, calorie; *a.*, caloric, heat
campagne, *f.*, country, campaign
canon, *m.*, cannon; **— rayé,** rifled gun
capillaire, *a.*, capillary
capital, *a.*, most important, chief, essential, major
capitale, *f.*, capital
captiver, to imprison
car, for, because
caractère, *m.*, character, "mark"
carbone, *m.*, carbon
carbonique, *a.*, carbonic; **acide —,** carbonic acid, carbon dioxide
carbure, *m.*, carbide
cardiaque, *a.*, cardiac, (of the) heart
carlingue, *f.*, cockpit, fuselage
carnet, *m.*, notebook
carré, *m.*, square
carrière, *f.*, career; **— des armes,** military career
cartésianisme, *m.*, Cartesianism
cartésien, *a.*, Cartesian (of Descartes)
carton, *m.*, cardboard
cas, *m.*, case; **en tout —,** in any event, at any rate; **être dans le — (de),** to be in a position (to)
casser, to break, shatter

catégorique, *a.*, definite, categorical
cause, *f.*, cause, reason; **à — de**, because of
causer, to chat, converse, talk
causerie, *f.*, conversation, talk
causeur, *m.*, talker, conversationalist
cave, *f.*, cellar
céans, within, in this house, inside
ceci, this
céder, to cede, grant, yield
cela, that
célèbre, *a.*, famous
céleste, *a.*, celestial, heavenly
celui, celle, *pronouns*, this, that
cent, hundred
centaine, *f.*, hundred, about a hundred
centenaire, *m.*, centenary, centennial
cependant, yet, however; **— que**, while
cercle, *m.*, circle
cérébral, *a.*, cerebral, brain
certes, certainly
cerveau, *m.*, brain
cesse: sans —, incessant
cesser, to stop, cease
c'est-à-dire, that is to say, that is
ceux-ci, the latter
ch., *abbr. for* **cheval**, horsepower; *see note 1 on Georges Claude*
chacun, each one, each
chair, *f.*, flesh, " skin "
chaire, *f.*, chair, professorship
chaleur, *f.*, heat
chalumeau, *m.*, blowpipe
chambre, *f.*, room
champ, *m.*, field
chance, *f.*, good luck
chansonnier, *m.*, song-writer
chapeau, *m.*, hat
chapiteau, *m.*, capital (*of column*)
chaque, *a.*, each, every
charbon, *m.*, charcoal, coal
charge, *f.*, load
charger, to load, entrust; **se — de**, to undertake, take in hand
charmant, *a.*, charming
charrette, *f.*, cart, wagon
chasse, *f.*, pursuit, hunt
chasser, to drive out, cast out
chasseur, *m.*, rifleman, infantryman, soldier, chaser, pursuer (*aviation*)
chaud, *a.*, warm
chaudière, *f.*, boiler
chauffer, to heat
chaussée, *f.*, road, highway
chef, *m.*, chief, leader
chef-d'œuvre, *m.*, masterpiece
chef-lieu, *m.*, chief town (*of department*), county town
chemin, *m.*, road, way; **— de fer**, railroad
chêne, *m.*, oak
chercher, to look for, seek
chercheur, *m.*, research worker, investigator
chétif, *a.*, poor, meager
cheval (*pl.* **chevaux**), *m.*, horse
chevalier, *m.*, knight
chevauchée, *f.*, cavalcade, ride
chevelure, *f.*, head of hair
chevet, *m.*, head (*of bed*), bedside
chez, at the house of, to the house of, among, " in "
chien, *m.*, dog
chiffre, *m.*, figure
chilien, *a.*, Chilean

chimérique, *a.*, fanciful, chimerical, visionary
chimie, *f.*, chemistry
chimique, *a.*, chemical
chimiste, *m.*, chemist
chirurgical, *a.*, surgical
chlorhydrique, *a.*, hydrochloric
choc, *m.*, impact, conflict, shock
choisir, to choose, select
choix, *m.*, choice
choquer, to shock
chose, *f.*, thing
chute, *f.*, fall
cible, *f.*, target
ciel, *m.*, sky; *pl.*, **cieux,** heavens
ciment, *m.*, cement; **— armé,** reinforced cement *or* concrete
cimetière, *m.*, cemetery
cinématographe, *m.*, cinema, cinematograph
cinétique, *a.*, kinetic
cinq, five
cinquante, fifty
cinquantenaire, *m.*, fiftieth anniversary
circonférence, *f.*, circumference
circonstance, *f.*, circumstance, occasion; *pl.*, environment
circuit, *m.*, circuit; **vol en — fermé,** circular flight
circuler, to circulate, run, move about
citation, *f.*, citation, quotation
citer, to cite, quote, mention
clair, *a.*, clear, bright, light, plain
clairement, clearly
clairvoyant, *a.*, clear-sighted
clarté, *f.*, clarity, brightness, light
classique, *a.*, classic, standard; *m.*, classic
clef, *f.*, key
cliché, *m.*, negative, plate
climat, *m.*, climate
clocher, *m.*, belfry, steeple
cœur, *m.*, heart
cohéreur, *m.*, coherer (*cardinal part in the receiving apparatus used in wireless telegraphy*)
col, *m.*, col, pass
collège, *m.*, secondary school (*high school and junior college together*); **Collège de France,** *founded about 1530 by Francis I. Its lectures are open to the public. It gives no examinations and grants no certificates or degrees.*
colline, *f.*, hill
collodion, *m.*, collodion; *see note 5 on Auguste and Louis Lumière*
colombe, *f.*, dove, pigeon
colonne, *f.*, column, pillar
colorer, to color; **se —,** to become colored
combien, how much, how many, how
combinaison, *f.*, combination, compound, arrangement, scheme
combustible, *m.*, fuel, combustible
commandant, *m.*, commanding officer
commande, *f.*, control
commander, to command, order, control
comme, as, like, how, "as it were"
commencement, *m.*, beginning, origin
commencer, to begin
comment, how, why

commentateur, *m.*, commentator
commode, *a.*, convenient, comfortable
commun, *a.*, common, ordinary, usual
communier, to commune, live in communion
compagnie, *f.*, company, society
comparaison, *f.*, comparison
compatriote, *m.*, compatriot, fellow-countryman
compétence, *f.*, competence, competency
complémentaire, *a.*, supplementary, fuller
complet, *a.*, completely full, complete
comporter, to require, admit of, allow, include
composé, *m.*, compound; *a.*, complex, compound
comprendre, to understand, include; **y compris,** including
comprimer, to compress (*artery*), squeeze
compris (*pp. of* **comprendre**), understood; **y —,** including
compromettant, *a.*, compromising
comptabilité, *f.*, bookkeeping
compte, *m.*, account, calculation; **tenir — de,** to take into account; **— rendu,** review, report; **à ce —,** in that case
compter, to count, calculate, number, be numbered, include; **— avec,** to reckon with; **sans —** , unstintingly
comté, *m.*, county
conception, *f.*, idea, conception, concept
concevoir, to conceive, imagine
conclure, to conclude
concourir, to compete
concours, *m.*, assistance
conçu (*pp. of* **concevoir**), conceived
concurrent, *m.*, competitor
condamnation, *f.*, condemnation, sentence
condition, *f.*, condition, state; *pl.*, terms
conduire, to conduct, lead
cône, *m.*, cone
conférence, *f.*, lecture
confiance, *f.*, confidence, trust
confier, to entrust
confondre, to confuse; **se —,** to intermingle
conformément à, in accordance with
confrère, *m.*, colleague
confus, *a.*, confused, embarrassed
conique: **(sections) —s,** conics, conic sections
conjugué: **gauchissement —,** warping (*of the lower extremities of a plane*)
connaissance, *f.*, acquaintance, knowledge, understanding, consciousness; *pl.*, knowledge
connaître, to know, understand, " recognize "
connu (*pp. of* **connaître**), known, well-known
conquérant, *m.*, conqueror
conquête, *f.*, acquisition, conquest
consacré, accepted, adopted, " standardized "
consacrer, to devote
conseil, *m.*, counsel, a piece of advice

conseiller, *m.*, adviser, councilor
conséquence, *f.*: **en —,** therefore
conséquent: par —, consequently
conservation, *f.*, conservation, preservation
conservatoire, *m.*, museum, conservatory
conserver, to preserve, keep
considération, *f.*, consideration, reflection
consigner, to consign, assign
consistance, *f.*, consistency, stability
consommation, *f.*, consumption
constatation, *f.*, observation, remark
constater, to note, observe, ascertain, establish
constituer, to constitute, set up, make up, form
conte, *m.*, tale, story
contempler, to contemplate, gaze upon
contemporain, *a.*, contemporary
contenir, to contain
contenter, to satisfy, content; **se — de,** to be content to
conter, to relate
conteste: sans —, unquestionably
continu, *a.*, continuous, continual
contraindre, to compel, force
contraire: au —, on the contrary
contre, against; **par —,** on the other hand
contredire, to contradict
contremaître, *m.*, foreman, overseer, supervisor
contrôle, *m.*, check-up, checking, verification
controverse, *f.*, controversy
controversé, *a.*, much-debated, discussed
convaincre, to convince
convenable, *a.*, suitable, proper
convenir: — de qu.ch., to agree on sth.; **— à,** to suit, fit
convertir, to convert
convoyeur, *m.*, convoy ship
cornue, *f.*, retort (*chemistry*)
corps, *m.*, body, substance; *m.*, **— à —,** hand-to-hand tussle
corriger, to correct
cosinus, *m.*, cosine
côte, *f.*, coast, side
côté, *m.*, side, direction; **à — de,** beside; **de ce —,** on this side; **à ses —s,** beside him (her); **à vos —s,** your way; **aux —s de,** beside; **de son —,** also
couche, *f.*, layer
coucher: se —, to go to bed; *noun*, *m.*, setting (*of the sun*)
couler, to sink, ruin, "do for," "flunk," slip by, pass (*of time*)
coup, *m.*, blow; **d'un seul —,** at a single blow; **du même —,** at one and the same time; **sur le —,** on the spot, outright; **tout à —,** suddenly; **après —,** after the event, afterwards; **— de toux,** coughing fit, cough
coupage, *m.*, cutting
couper, to cut
couperet, *m.*, blade (*of guillotine*)
cour, *f.*, yard, court, courtyard

courant, *m.*, current; *a.*, common; *see* **mettre; au — de,** informed about
courbe, *f.*, curve
courbé, bent, curved
courir, to run, incur
couronnement, *m.*, crowning
couronner, to crown
cours, *m.*, course; **au — de,** during; **faire un —,** to give a course
course, *f.*, course, " drive," journey
court, *a.*, short
courtois, *a.*, courteous, polite, well-mannered
couteau, *m.*, knife
coûteux, *a.*, costly
couvert (*pp. of* **couvrir**), covered
couverture, *f.*, cover
couvrir, to cover, " make "
craie, *f.*, chalk
craindre, to fear
crainte, *f.*, fear; **de — de,** for fear of
cratère, *m.*, crater
créancier, *m.*, creditor
créateur, *m.*, creator; *a.*, creative
crédit, *m.*, credence, belief
créer, to create
crise, *f.*, crisis, depression
crisper, to clench, contract
crochet, *m.*, hook, band, bond, particle (of atom)
croisade, *f.*, crusade
croiser, to cross
croissant, *m.*, crescent; *pr.p. of* **croître** (to grow)
croître, to grow, increase
croyance, *f.*, belief
cube, *a.*, cubic
cuillère, *f.*, spoon
cuirassé, *m.*, armor-plated battleship
cuisine, *f.*, kitchen; **faire la —,** to do the cooking
cuivre, *m.*, copper
culasse, *f.*, breech (breech-loading)
culminant, *a.*, highest; **point —,** highest point
culte, *m.*, worship
culture, *f.*, cultivation, education
cumuler, to combine a plurality of offices
cuvette, *f.*, basin
cyanhydrique, *a.*, hydrocyanic (*familiarly* " prussic acid ")

D

danois, *a.*, Danish
dans, in, within
davantage, further, more
débarquement, *m.*, disembarkment
débarrasser: se — de, to get rid of
déboire, *m.*, disappointment
débordant, *a.*, overflowing
déborder, to overflow, go beyond
début, *m.*, beginning, first appearance; **dès ses —s,** at the very outset
débuter, to begin
deçà: en —, before, on this side
déceler, to disclose, reveal, show, detect
déception, *f.*, disappointment, disillusion
décerner, to award
décharger, to unload
déchet, *m.*, loss; *pl.*, waste
déchirer, to tear, rip, tear open
déchu, fallen

décidé, *a.*, determined, definite
décider, to decide; **se —,** to make up one's mind
déclancher, to release, start
déclin, *m.*, close, end
décollage, *m.*, " take-off " (*aviation*)
déconseiller, to dissuade
découler, to proceed, follow from
décourager, to discourage; **se —,** to become discouraged
découverte, *f.*, discovery
découvrir, to discover, bring to light
décret, *m.*, decree
décrire, to describe
décroissance, *f.*, decrease, decline, falling-off (*of speed*)
décroître, to decrease, diminish
dédaigner, to disdain, scorn
dédain, *m.*, disdain, scorn, contempt
déduction, *f.*, inference
déduire, to deduce, infer
défaire, to undo; **se — de,** to rid oneself of, to get rid of
défaite, *f.*, defeat, " lame excuse "
défaut, *m.*, defect, failure; **— d'usage,** disuse; **être en —,** to fail, be at fault
défavorable, *a.*, unfavorable
défense, *f.*, defense, prohibition, barrier; *pl.*, forbidding heights
défiler, to march past, file past
définir, to define
définitif, *a.*, definitive, final; **en définitive,** in short, finally
définitivement, finally, definitively
dégagement, *m.*, release
dégager, to release, give off; **se — ** free oneself, emerge
degré, *m.*, degree, step, stage
déguisé, *a.*, disguised
dehors: en — de, outside (of), beside; **au —,** on the outside, abroad, " far and wide "
déjà, already
déjeuner, *m.*, breakfast, luncheon
delà: au —, beyond
délasser: se —, to take some relaxation
délicat, *a.*, delicate, fine
délice, *m.*, delight
délire, *m.*, " delirious enthusiasm "
délivré, freed
demain, tomorrow
demander, to demand, ask, require; **se —,** to wonder
démarche, *f.*, step
démenti, *m.*, contradiction, challenge
démentir: se —, to fail, fall off
demeurer, to remain, live
démissionnaire, *m.*, one who has resigned his commission (office)
démolir, to demolish
démonstration, *f.*, demonstration, proof
démontrer, to prove
dénigrement, *m.*, denigration, disparagement, libeling
dénombrement, *m.*, enumeration
dénommer, to name
denrée, *f.*, product, **— alimentaire,** food product
dent, *f.*, tooth
dénuement, *m.*, destitution
départ, *m.*: **point de —,** starting point

départir: se — de, to swerve from, deviate from
dépasser, to go beyond, surpass
dépêche, *f.*, dispatch
dépendre de, to depend upon, belong to, be attached to
dépense, *f.*, expense
dépit: en — de, despite
déplacer: se —, to move about, travel, move
déplaire, to offend, be displeasing (to)
déplier, to unfold, display
déployer, to unfold, display, put forth
déposer, to deposit, lodge
dépouiller, to free from, strip
dépourvu de, devoid of, without, deprived of
depuis, from, since; **— . . . jusqu'à,** from . . . to
déranger, to disturb
dériver, to derive, be derived
dernier, *a.*, last; **ce —,** the latter, last; *see* **lieu**
dérober: se — à, to escape from
dérouler: se —, to take place, unfold itself
déroute, *f.*, rout
derrière, behind
dès, from, as early as, since; **— lors,** consequently, from that time onwards; **— que,** as soon as
désagréger, to disintegrate
descendu, " brought down "
désenchantement, *m.*, disillusion
désespéré, *a.*, desperate, hopeless
désespérer, to despair, give up hope
désintéressé, *a.*, disinterested, unselfish
désirer, to wish, desire
désormais, henceforth, now
dessein, *m.*: **à —,** purposely, intentionally
dessin, *m.*, design, pattern, drawing
dessous, under; *m. pl.*, " hidden details "
dessus, *m.*, top, upper part; **au-— de,** above
destin, *m.*, destiny, fate
destructeur, *m.*, destroyer (*one who destroys*)
détail, *m.*, detail
détendre: se —, to expand (*gases*)
détenir, to hold
déterminé, *a.*, determined, definite
détonation, *f.*, detonation, explosion
détoner, to detonate, explode
détresse, *f.*, difficulties
détruire, to destroy, overthrow; **se —,** to be destroyed
deux, two
devancer, to precede, be ahead of
devant, in front of, before
devenir, to become
déverser, to pour, pour down
dévier, to deflect, deviate, be deflected
deviner, to guess
dévoiler, to reveal
devoir, *m.*, duty, obligation; **se mettre en — de,** to prepare to; *as verb*, to owe; **dût-elle traiter,** even if she had to treat
diamant, *m.*, diamond

diction, *f.*, delivery (*of a speech*), manner (*of speaking*)
Dieppe, *on the English Channel*
dieu, *m.*, God
difficile, *a.*, difficult
digne, *a.*, worthy
dilatation, *f.*, expansion (*of gases*)
dilater: se —, to expand
dimanche, *m.*, Sunday
diminuer, to diminish, lessen
diminution, *f.*, diminution, lessening
dioptrique, *f.*, (study of) refraction
dire, to tell, say; **pour ainsi —,** so to speak
directeur, *m.*, manager, principal
dirigeable, *m.*, dirigible
diriger, to direct, manage, govern
discours, *m.*, discourse, speech
discuté, disputed
discuter, to discuss
disparaître, to disappear
disparition, *f.*, disappearance
disparu, disappeared (*from* **disparaître**)
disperser, to disperse, scatter
disposer de, to have at one's disposal (at one's command)
dispositif, *m.*, device
disposition, *f.*, disposal, lay-out, use, "run"; *pl.*, talents, natural aptitude, predisposition, arrangements
dissimuler, to hide
dissolution, *f.*, solution
dissolvant, *m.*, (dis)solvent
dissous (*pp. of* **dissoudre**), dissolved, in solution
dissymétrie, *f.*, dissymmetry, asymmetry
distancer, to outdistance
distraction, *f.*, distraction, absent-mindedness
distraire: se — de, to take one's mind off
distrait, *a.*, distracted, absent-minded
dit (*pp. of* **dire**), "so-called"
divers, *a.*, diverse, different
divertir: se —, to amuse oneself
divinatoire, *a.*, divining; **baguette —,** divining rod, dowsing rod
diviser, to divide
dix, ten
dizaine, *f.*, some ten
documenter, to "post," give information
dogme, *m.*, dogma, belief
doigt, *m.*, finger
doit: il —, he owes, he must, he is to (*from* **devoir**)
domicile, *m.*, home
dominateur, *a.*, dominating
Domodossola, *in northern Italy, near the Swiss frontier*
don, *m.*, gift
donc, therefore, then
donnée, *f.*, datum; *pl.*, data
donner, to give, give off; **— sur,** to face; *pp.*, **donné,** "born of"
dont, whose, of which, of whom, from whom
dos, *m.*, back
dosage, *m.*, dosage, proportioning, quantity
doter, to endow, equip; **— de,** to endow with
doucement, slowly, quietly
douceur, *f.*, softness
doué, *a.*, gifted, endowed

douleur, *f.*, pain, sorrow
douloureux, *a.*, painful
doute, *m.*, doubt
douter: — de, to doubt; **se — de,** to suspect
douteux, *a.*, doubtful; **non —,** unmistakable
douze, twelve
dresser, to prepare, draw up
droit, *m.*, right; *a.*, straight, right; **piano —,** upright piano
droite, *f.*, right
droiture, *f.*, uprightness
dû, due
dur, *a.*, hard, " cruel "
durable, *a.*, durable, lasting, permanent
durant, during, for
durée, *f.*, duration, time, endurance
durer, to last
dut: il —, he had (to); *see* **devoir**
dynamique, *f.*, dynamics

E

eau, *f.*, water
ébaucher, to outline, sketch out
éblouir, to dazzle
éblouissant, *a.*, dazzling
ébranler, to shake
écarter, to push to one side, reject
échafaud, *m.*, scaffold
échappement, *m.*, escapement (*of a watch*); *see note 6 on Jean d'Alembert*
échapper, to escape
échauffer, to heat, warm; **s'—,** to become heated
échec, *m.*, failure, defeat
échelle, *f.*, scale
échelon, *m.*, stage
échoué, *a.*, stranded
échouer, to fail
éclair, *m.*, (flash of) lightning
éclairage, *m.*, lighting
éclairé, " subjected to light," enlightened
éclairement, *m.*, lighting
éclairer, to light up, lighten, illuminate
éclat, *m.*, brilliancy, " light," fragment, splinter; **action d'—,** brilliant feat
éclatant, *a.*, dazzling, striking, illustrious, " signal," brilliant
éclater, to break out, burst
éclore, to be born, open, blossom
éclos (*pp. of* **éclore**) born
éclosion, *f.*, birth
école, *f.*, school
écolier, écolière, *m. & f.*, student, schoolgirl
économie, *f.*, economy, organization, system
écouler: s'—, to slip away
écouter, to listen (to)
écran, *m.*, screen
écraser, to crush; **s'—,** to crash
écrier: s'—, to cry out
écrits, *m.pl.*, writings; (*pp. of* **écrire**), written
Écriture, *f.*, Scriptures
écrivain, *m.*, writer
écrouler: s'—, to collapse, crumble
écume, *f.*, foam, froth
édifice, *m.*, building, structure
Édimbourg, Edinburgh
effacé, *a.*, small, unimportant
effacement, *m.*, retirement, obscurity
effectivement, in fact

effectuer, to effect, bring about; **s'—,** to be effected, take place
effet, *m.*, effect; **en —,** in fact, as a matter of fact; **à cet —,** for this purpose
efficace, *a.*, effective
efficacité, *f.*, success
efforcer: s'— de, to try to
effrayant, *a.*, frightful, terrifying
effroi, *m.*, fright, terror
effroyable, *a.*, frightful
égal, *a.*, equal
également, likewise, equally
égalité, *f.*, equality
égard: à l'— de, with respect to; **à son —,** concerning him
église, *f.*, church
élancer: s'—, to dash
électrisé, electrified
électroaimant, *m.*, electromagnet
électrodynamique, *f.*, electrodynamics
électrotechnique, *f.*, electrotechnics
élément, *m.*, cell, element
élève, *m.*, pupil
élevé, *a.*, high, elevated
élever, to set up, erect, raise, bring up; **s'—,** to rise
élire, to elect
élite, *f.*, élite, choice part, pick, flower
éloge, *m.*, praise, eulogy
éloigné, *a.*, distant, " away "
éloignement, *m.*, remoteness
éloigner, to remove, " alienate "; **s'— de,** to go away from
embarquement, *m.*, embarkation
embarras, *m.*, embarrassment; **tirer qu.un d'un —,** to pull s.o. out of a difficulty
embrasser, to embrace
embrasure, *f.*, embrasure (*of a door*)
embûche, *f.*, ambush, trap; *pl.*, pitfalls
émettre, to emit, send out, put forward
emparer: s'— de, to seize, take possession of
empêcher, to prevent; **— qu.un de faire qu.ch.,** to keep s.o. from doing sth.
empennage, *m.*, empennage, stabilizer, tail, rudder(s)
emploi, *m.*, employment, use
employer, to employ, use
emporter, to carry off, take, sweep away; **l'—,** to have the best of it, to win out; **l'— sur,** to triumph over
empresser: s'— de, to hasten to
emprunter à, to borrow from, take from
ému, *a.*, moved
en, at, in, into; *with pr.p.*, by, while, in
encore, still, yet, again, more, further, all the same, also; **non seulement . . . mais —,** not only . . . but also
encyclopédie, *f.*, encyclopedia
endroit, *m.*, place
énergétique, *f.*, " energetics " (*a branch of science which deals with physical forces and their phenomena*); *a.*, energetic, vigorous, firm
enfance, *f.*, childhood
enfanter, to give birth to, produce
enfantin, *a.*, childish
enfin, finally, in short

enflammer, to ignite; **s'—,** to start into flame
enfler, to swell; *see* **avoir**
engager, to engage, urge, begin; **s'—,** to begin, agree
engendrer, to engender, give rise to
engin, *m.*, device
englober, to include
enlever, to carry off, take away, remove
ennemi, *m.*, enemy
énoncé, *m.*, statement
énoncer, to put forth, state, express, set forth
enquête, *f.*, investigation
enragé, *a.*, mad
enrayer, to check
enrouler, to roll up, wind, coil
enseignement, *m.*, teaching
enseigner, to teach
ensemble, together; *m.*, the whole, group; **dans son —,** as a whole
ensevelir, to bury
ensuite, then, next, later on
ensuivre: s'—, to ensue, follow
entasser, to heap up
entendre, to hear, understand; **ses amis lui firent entendre,** his friends made him understand; **bien entendu,** of course; **c'est une affaire entendue,** the matter is settled
entier, *a.*, entire, complete, whole
entourage, *m.*, attendants, surroundings
entourer, to surround
entraînant, *a.*, lively, stirring
entraînement, *m.*, lure
entraîner, to drag along, bring about, lead to, entail, involve; **s'—,** to train, practice
entraver, to shackle, fetter, hinder
entre, between, among; **— temps,** in the meanwhile; **entr'acte,** *m.*, intermission
entrecoupé, *a.*, broken
entrefaites: sur ces —, in the meanwhile
entreprendre, to undertake
entretenir, to keep up, maintain, sustain
entretien, *m*, conversation, upkeep, maintenance
envahi, invaded
envergure, *f.*, wingspread
envers, towards
environ, about, approximately; *m.pl.*, surroundings
environnant, *a.*, surrounding
environner, to surround
envisager, to envisage, consider
envolée, *f.*, take-off (*aviation*)
envoler: s'—, to fly away
envoyer, to send
épaisseur, *f.*, thickness
éperdument, madly
épidémie, *f.*, epidemic
épineux, *a.*, thorny
épique, *a.*, epic
épopée, *f.*, epic
époque, *f.*, time, period
épouse, *f.*, wife; *m.pl.*, **les époux,** the couple
épouser, to marry
épreuve, *f.*, test
éprouver, to experience, test, feel
épuiser, to exhaust, use up, consume, wear out
équestre, *a.*, equestrian
équilibre, *m.*, equilibrium

équilibré, *a.*, well-balanced, sane
équilibrer, to balance
équipage, *m.*, equipment, apparatus
équipe, *f.*, team
équipé, *pp.*, armed, fitted out
équité, *f.*, fairness
équivaloir, to be equivalent to
ère, *f.*, era
ériger, to set up, construct, " conjure "
erroné, *a.*, erroneous, mistaken
érudit, *m.*, scholar
érudition, *f.*, erudition, learning
escalader, to scale
escale, *f.*, stop, call; **vol sans —,** nonstop flight
escalier, *m.*, staircase; **dans l'—,** on the stairs
escamoter, to whisk away
esclavage, *m.*, slavery
esclave, *m.*, slave
escompter, to anticipate
espace, *m.*, space
Espagne, *f.*, Spain
espagnol, *a.*, Spanish
espèce, *f.*, kind, species
espérance, *f.*, hope
espérer, to hope, expect
espoir, *m.*, hope
esprit, *m.*, mind, spirit, wit
esquif, *m.*, skiff, craft, ship
essai, *m.*, attempt, test, trial, essay
essayer, to try, attempt, try out
essence, *f.*, gasoline
essor, *m.*, impulse
est, *m.*, east
estime, *f.*, esteem
estimer, to esteem, value
estrade, *f.*, dais, platform
établir, to establish; **s'—,** to establish, build, establish oneself, " take up residence "
établissement, *m.*, construction
étage, *m.*, stage, layer
étant, being
étape, *f.*, stage
état, *m.*, state, profession, condition; **en — de,** in a position to; **— major,** *m.*, staff; *see* **hors**
étayé, *pp.*, supported, backed up
éteindre: s'—, to pass away, be extinguished
étendre, to extend
étendu, *a.*, extensive
étendue, *f.*, stretch, extent
étincelle, *f.*, spark
étiquette, *f.*, label
étonnamment, surprisingly
étonnant, *a.*, surprising
étonnement, *m.*, surprise, astonishment
étonner, to surprise; **s'— de,** to be surprised at, wonder at
étouffer, to smother
étranger, *m.*, foreigner, stranger; *a.*, foreign; **à l'—,** abroad
être, *m.*, being, life; *vb.*, **il en est ainsi,** the same is true; **n'en est-il pas de même,** isn't the same true of; **il en était là,** he had come to that point
étroit, *a.*, narrow, close
étude, *f.*, study
étudier, to study
eu (*pp. of* **avoir**), had
eurent, *past def. of* **avoir**
éveil: en —, wide-awake
éveiller: s'—, to awaken
événement, *m.*, event
éventrer, to break open, blow up
évidemment, clearly
évincer, to eject, oust

éviter, to avoid
évoluer, to evolve
évolution, *f.*, maneuver
exalter, to exalt, praise, excite
examen, *m.*, examination
exceller, to excel
exécuter, to perform
exemple, *m.*, example; **par —,** for example
exercer, to exert, carry out; **s'—,** to hold sway, exercise, be exerted
exigence, *f.*, requirement, exigency, demand
exiger, to require
expérience, *f.*, experiment, experience
explication, *f.*, explanation
expliquer, to explain
exploitation, *f.*, exploitation, developing, operation, running
explorateur, *a.*, exploring
explosion, *f.*, outbreak
exposé, *m.*, account, report, explanation
exposer, to explain, make known
exposition, *f.*, exposition, exposure, condition; **— universelle,** world's fair
exprimer, to express
exténué, *a.*, worn out, exhausted
extérieur, *a.*, exterior, external
extraire, to extract, remove
extraordinaire, *a.*, extraordinary; **par —,** extraordinarily enough
extrinsèque, *a.*, extrinsic

F

fabricant, *m.*, manufacturer
fabrication, *f.*, manufacture
fabriquer, to manufacture
fabuleux, *a.*, fabulous, " incredible "
face: en —, opposite
facile, *a.*, easy
faciliter, to facilitate
façon, *f.*, manner, fashion
facteur, *m.*, postman
faculté, *f.*, faculty, property
faible, *a.*, weak, small
faiblesse, *f.*, weakness
faïence, *f.*, crockery, china
faillir, *followed by infinitive*, almost to do, come near
faire, to make, cause, do; **— part à qu.un,** to inform s.o.; **— remarquer,** to point out; **— valoir,** to put forward; **— voir,** to show; **— place à,** to yield to; **je vais en — autant,** I shall do the same; **se —,** to happen; **se — une opinion sur qu.ch.,** to form an opinion of sth.; *see* **part, partie, table**
fait (*pp. of* **faire**)**: la figure qu'il a —e,** " the figure he cut "; **c'en était —,** it was all over
fait, *m.*, fact; **par le —,** as a matter of fact; **de ce —,** hence
falloir, to be necessary; **il s'en est fallu de peu que,** little was lacking for; **il n'en fallut pas davantage,** no more was needed
familiarisé, *a.*, familiar
familiers, *m.pl.*, friends; *a.*, familiar, well-known
fantôme, *m.*, phantom, ghost
farouche, *a.*, fierce
fatal, *a.*, fatal, inevitable
faucher, to guillotine (*familiar*)
fausser, to bend, crack

faute, *f.*, fault, mistake; **— de,** lacking, for lack of
fauve, *m.*, wild beast
faux, *m.:* **le —,** what is false; *a.*, false
favori, *a.*, favorite
fébrile, *a.*, feverish
fécond, *a.*, fruitful, productive, rich
féconder, to make (*land*) fertile, fertilize
fécondité, *f.*, fruitfulness, fertility; **— d'esprit,** inventiveness
fée, *f.*, fairy; **conte de —s,** fairy tale
femme, *f.*, wife, woman; *see* **bon**
fer, *m.*, iron; **— doux,** soft iron
fermier, *m.*, farmer; **— général,** farmer-general (*government tax-collector before the French Revolution*)
fête, *f.*, fete, festival; *pl.*, celebration
feu, *m.*, fire; *pl.*, lights
feuille, *f.*, sheet
février, *m.*, February
ficelle, *f.*, string
fidèle, *a.*, faithful
fidélité, *f.*, accuracy
fier: se — à, to trust, rely on
figure, *f.*, figure, face
fil, *m.*, wire
fille, *f.*, daughter
fillette, *f.*, little girl
fils, *m.*, son
fin, *f.*, end; **à la —,** finally; *a.*, shrewd; **— novembre,** end of November
fini, *a.*, finished, finite
finir, to end, finish; **— par,** to end by, finally
fiole, *f.*, flask
firmament, *m.*, firmament, sky
firman, *m.*, firman, license, permit
fit: il —, he made (**faire**)
fixé, *a.*, fixed, settled
fixer, to fix, establish, set up, formulate; **se —,** to become fixed
flatter, to flatter; **se — de,** to boast of
flèche, *f.*, arrow
fleur, *f.*, flower
fleuron à notre couronne, feather in our cap
flore, *f.*, flora (*a description of the plants or plant life of a region*)
flot, *m.*, wave
flottant, *a.*, flowing, floating
flotteur, *m.*, float
flux, *m.*, flow
foi, *f.*, faith; **de bonne —,** sincere
foie, *m.*, liver
fois, *f.*, time; **une —,** once; **à la —,** at the same time
foncer, to swoop down, charge
fonctionnaire, *m.*, functionary, public servant, official
fond, *m.*, bottom, depth; **à —,** thoroughly; **au —,** at bottom
fondateur, *m.*, founder
fondé, *a.*, justified
fondement, *m.*, foundation, basis, truth
fonder, to found, establish; **se —,** to be based
fondu (*pp. of* **fondre**), melted
fontaine, *f.*, fountain, well, sink
fonte, *f.*, cast iron
force: de première —, first-class; **nous est —,** we must
forfait, *m.*, contract, forfeit

forme, *f.*, shape; **sous la — de,** in the form of
former, to form, bring up
formule, *f.*, formula
fort, *adv.*, very; *a.*, strong, ample, steep; **c'est un peu —,** that is too much
fortuit, *a.*, fortuitous, accidental
fou, *m.*, madman
foudre, *f.*, lightning, thunderbolt; *pl.*, anger
foudroyant, *a.*, terrifying, lightning
foulant, *a.:* **pompe —e,** force pump
foule, *f.*, crowd of people, mob, host, great many; *pl.*, masses
four, *m.*, oven
fourmi, *f.*, ant
fournir, to furnish, put forth
foyer, *m.*, center, source
fraîcheur, *f.*, coolness
frais, *a.*, cool, fresh
français, *a.*, French; **à la —e,** in the French manner
franchir, to clear, cross
frapper, to strike
freiner, to hold in check
frénétique, *a.*, frantic, frenzied, mad
fréquenter, to frequent, visit, associate with
frère, *m.*, brother
froid, *m.*, cold, refrigeration; *a.*, cold
froidement, *adv.*, coldly, "calmly"
front, *m.*, forehead
frontière, *f.*, boundary, border
fructidor, *m.*, *twelfth month of the French Republican calendar* (*August–September*)
fruit, *m.*, fruit, result; **avec —,** profitably
fugace, *a.*, fleeting, passing
fuir, to run away
fumée, *f.*, smoke; **poudre sans —,** smokeless powder
funeste, *a.*, fatal
furent: ils —, they were (**être**)
furieux, *a.*, furious, mad
furtif, *a.*, sly, furtive
fusée, *f.*, rocket, fusee (*wheel of a watch upon which the chain is wound*)
fut: il —, it (he) was (**être**)

G

gage, *m.*, pledge, sign
gagner, to win, earn
gai, *a.*, gay
galvanique, *a.*, galvanic (*cell, etc.*)
galvanomètre, *m.*, galvanometer (*an apparatus for determining direction and intensity of galvanic currents*)
gamelle, *f.*, bowl
garde: mettre qu.un en —, to put s.o. on his guard; **il n'y prit pas —,** he did not notice it
garder, to guard, keep guard
gare, *f.*, station; **— de marchandises,** freight station, goods station
garnir, to furnish, fill, equip
gauche, *f.*, left
gauchissement, *m.*, warping (*of lower extremities of a plane*)
gaz, *m.:* **— carbonique,** carbon dioxide gas
gazeux, *a.*, gaseous
géant, *a.*, gigantic
gélatino-bromure d'argent, ge-

latinobromide of silver (*photography*)

geler, to freeze

gêne, *f.*, discomfort, want

général, *m.*, general; *a.*, general

généralité, *f.*, generality; **pour la — de,** for most of

génération, *f.*, generation, procreation, descendants

gêneur, *m.*, nuisance, " troublemaker "

génial, *a.*, geniuslike, of a genius

génie, *m.*, genius, engineering, engineering corps

genre, *m.*, race, kind

gens, *pl.*, people; **— du monde,** society people

géomètre, *m.*, geometer, geometrician

geste, *m.*, gesture, act, deed, example

glace, *f.*, ice

glissade, *f.*, glide, gliding

globalement, *adv.*, as a whole

gloire, *f.*, glory, fame

glorieux, *a.*, glorified, glorious

gonfler, to inflate

goût, *m.*, taste

goûter, to enjoy, appreciate

goutte, *f.*, drop

grâce à, thanks to

gracieusement, without payment, gratis

grade, *m.*, rank, degree

graduellement, *adv.*, gradually

graine, *f.*, grain, seed

graminée, *f.*, gramineae, grass family, grass

grand: en —, on a large scale

grandeur, *f.*, greatness; **de première —,** of the first magnitude

grandir, to grow, grow up, grow tall, raise

grandissant: aller —, to keep growing

gras, *a.*, fat, fatty

gratter, to scratch

grave, *a.*, serious

gré: à notre —, to our liking

grec, *a.*, Greek

grenier, *m.*, garret, attic

grenouille, *f.*, frog

grièvement, seriously

griser, to intoxicate

grisou, *m.*, firedamp, pit gas

gros, *a.*, large, big, heavy

grossier, *a.*, coarse

guère: ne . . . guère, hardly, scarcely

guérir, to cure

guerre, *f.*, war

guet: faire le —, to be on the lookout

gyroscope, *m.*, gyroscope (*an apparatus consisting of a rotating disk mounted by very accurately fitted pivots in a ring or rings; by means of this instrument the rotation of the earth on its axis can be ocularly demonstrated*)

H

***h** *indicates* **h** *aspirate*

habile, *a.*, skillful, apt

habileté, *f.*, skill

habité, *pp.*, inhabited

habiter, to dwell in, live in, inhabit

habitude, *f.*, habit

habitué, *a.*, accustomed

***hache,** *f.*, ax

***haine,** *f.*, hatred

***haineux,** *a.*, full of hatred
***haïr,** to hate
***haletant,** *a.*, panting, gasping
***hangar,** *m.*, shed, shanty
***hanneton,** *m.*, cockchafer
***hanter,** to haunt
***harceler,** to torment
***hardi,** *a.*, bold
***hardiesse,** *f.*, daring, boldness, daring act
***hasard,** *m.*, chance, accident; **par —,** by chance; **au —,** at random
***hâte,** *f.*, haste
***haut,** *a.*, high, lofty, great; **plus —,** above; *noun, m.*, top; **de — en bas,** from top to bottom
***hautement,** " in no uncertain terms "
***hauteur,** *f.*, height, altitude
***haut-parleur,** *m.*, loud-speaker
héberger, to shelter, house
hébété, *a.*, dull-witted
hélas, alas
***hérisson,** *m.*, cross-grained person
hétérogène, *a.*, heterogeneous
heure, *f.*, hour, time; **à l'—,** per hour; **de bonne —,** early; **à l'— actuelle,** at the present time; **tout à l'—,** a little while ago, in a little while
heureusement, fortunately
heureux, *a.*, fortunate
***heurter: se — à,** to run into
***hideux,** *a.*, hideous
hier, yesterday
histoire, *f.*, history, story
historique, *m.*, account
hiver, *m.*, winter
homme, *m.*, man; **— de peine,** odd-jobs man
***honte,** *f.*, shame
hôpital, *m.*, hospital
horaire, *m.*, timetable, schedule; *a.*, hourly, per hour
horloge, *f.*, clock; **d'—,** by the clock
horlogerie, *f.*, clock- and watch-making
horreur, *f.*, abhorrence
***hors: — de,** outside of; **— d'état,** incapable, unfit; **— de doute,** certain
hôtel, *m.*, mansion, town house; **Hôtel-Dieu,** *the oldest hospital in Paris*
***houille,** *f.*, coal
huile, *f.*, oil
***huit,** eight
humide, *a.*, moist, damp
hydravion, *m.*, seaplane
hyperpression, *f.*, hyperpressure, superpressure
hypothèse, *f.*, hypothesis

I

ici, here
identique, *a.*, identical
idylle, *f.*, idyll
ignorer, to be ignorant of, not know
illumination, *f.*, " inspiration "
illuminer, to light up, illumine
illustration, *f.*, " celebrity "
illustre, *a.*, illustrious, famous
illustrer: s'—, to become famous
image, *f.*, picture, image
imaginer: s'—, to imagine
imbiber, to soak up, absorb
immédiat, *a.*, near at hand, close
immobile, *a.*, motionless, immobile
imparfait, *a.*, imperfect

impatienter: s'—, to become impatient
impératrice, *f.*, empress
impérieux, *a.*, domineering
importer, to matter: **il importe de**, it is important to
imposer: s'— à, to force oneself upon
imprécis, *a.*, inexact
impressionner, to make an impression upon
improvisé, *a.*, improvised, " chance "
improviste: à l'—, unexpectedly
impuissance, *f.*, helplessness, impotence
impulsion, *f.*, impulse, impulsion
inattaquable, *a.*, unassailable
inattendu, *a.*, unexpected
incarner, to personify
incidemment, incidentally
inclinaison, *f.*: **— de tête**, nod of the head
incliner: s'—, to yield, bow
incolore, *a.*, colorless
incongru, *a.*, incongruous
inconnu, *m.*, stranger; *a.*, unknown
incontestable, *a.*, irrefutable
incontesté, *a.*, undisputed
inconvénient, *m.*, disadvantage
incroyable, *a.*, unbelievable
indédoublable, *a.*, indivisible
indéfiniment, indefinitely
indescriptible, *a.*, indescribable
index, *m.*, index finger
individu, *m.*, individual
indomptable, *a.*, indomitable
industriel, *m.*, manufacturer, capitalist
inébranlable, *a.*, unshakable
inédit, *a.*, new, unknown (type hitherto unknown)
inertie, *f.*, inertia
inexorable, *a.*, inexorable, unrelenting, inflexible
infaillible, *a.*, infallible, unfailing
infâme, *a.*, infamous
infime, *a.*, insignificant
infini, *m.*, infinite; **à l'—**, infinitely
infinitésimal, *a.*, infinitesimal
infléchir: s'—, to bend
inflexion, *f.*, inflection, tone
influer sur, to have an influence upon
infranchissable, *a.*, insuperable, insurmountable
ingénieur, *m.*, engineer
ingénieux, *a.*, ingenious, clever; **pour ingénieuse qu'elle soit**, no matter how ingenious it may be
ingéniosité, *f.*, ingenuity
ingénuité, *f.*, artlessness, naïveté
inhumer, to bury
initiateur, initiatrice, *a.*, " inspiring force "
initier, to initiate
inlassable, *a.*, indefatigable, untiring
inquiétant, *a.*, uneasy, troubling, alarming, disturbing
insécabilité, *f.*, indivisibility
insécable, *a.*, indivisible
insensible, *a.*, insensitive, imperceptible, unaffected
insigne, *m.*, *usu. pl.*, insignia
insipide, *a.*, tasteless
insoupçonné, *a.*, unsuspected
inspiration, *f.*, inhaling
instable, *a.*, unstable
installation, *f.*, equipment

instant, *m.*, moment; **à tout —,** continually, at every moment
instaurateur, *m.*, founder, establisher
instituteur, *m.*, instructor
instruit, *a.*, educated, learned
insuffler, to breathe, blow
intégrale, *f.*, integral, whole number
intégralement, entirely, in its entirety
intelligence, *f.*, intelligence, mind, intellect
intempérie, *f.*, bad weather
intendant, *m.*, steward, administrator
intercaler, to intersperse, " sandwich in "
interdire, to forbid, suspend
intéressé, *m.*, interested person
intérêt, *m.*, interest; **il y a donc —,** it is therefore important
intérieur, *a.*, inner, interior, internal
intérieurement, inwardly
interloqué, *a.*, taken aback, nonplussed
intervenir, to come into play, arise
intime, *a.*, intimate
intrépide, *a.*, bold, daring
intrinsèque, *a.*, intrinsic
intrus, *m.*, intruder
invar, *m.*, invar metal, invar steel
inversé, inverted, inverse
inviter, to invite
irradier, to (ir)radiate, flood
Islande, *f.*, Iceland
isolateur, *m.*, insolator
isolé, *a.*, isolated
issue, *f.*, outcome, conclusion

J

jadis, formerly
jaillir, to gush forth, shoot forth, flash, fly (*of sparks*), spring
jamais: à —, forever
jambe, *f.*, leg
janvier, *m.*, January
jardin, *m.*, garden
jardinier, *m.*, gardener
jarret, *m.*, bend of the knee, leg (*of a horse*)
jésuite, *m.*, Jesuit
jet, *m.*, stream, projection, ray, flash
jeter, to throw, throw (away), lay (*bases*)
jeu, *m.*, play, game, " amusement," working, action, chance, gambling; **—x de lumière,** lighting effects; **mettre en —,** to put into play, use
jeune, *a.*, young
jeunesse, *f.*, youth, boyhood
joindre, to join
joli, *a.*, pretty
jouer, to play
jouir de, to enjoy
jour, *m.*, day, light of day; **de nos —s,** nowadays
journal, *m.*, newspaper
journée, *f.*, day
juillet, *m.*, July
juin, *m.*, June
jurer, to swear
jusqu'à, until, up to
jusque-là, up to that time
jusqu'ici, up to now
juste, *a.*, exact, just
justement, justly, exactly, just

K

kilogramme, *m., approximately 2.2 pounds*

km., *abbr. of* **kilomètre,** *five eighths of a mile*

L

là-bas, over there, yonder

laborieux, *a.*, industrious, diligent, laborious

labouré, plowed, scored

lâcher, to let go of

là-contre, to the contrary

là-dessus, thereupon

laisser, to let, leave, allow; **se — aller,** to give way

lame, *f.*, thin plate, strip

lancer, to throw, hurl, start, launch; **se —,** to plunge oneself

lancier, *m.*, lancer

langue, *f.*, language

languissant, *a.*, languishing, drooping

lapin, *m.*, rabbit

large, *a.*, wide, broad, bold, " sound "

largement, amply

larme, *f.*, tear

las, alas

lasser: se —, to become tired

latin, *m.*, Latin

lecteur, *m.*, reader

lecture, *f.*, reading

ledit, ladite, the aforesaid

léger, *a.*, slight, light; **à la légère,** lightly

légèrement, lightly, slightly

légèreté, *f.*, lightness (*in weight*), speed

léguer, to bequeath

lendemain, *m.*, the next day; **au — de,** on the day after

lent, *a.*, slow

lentement, slowly

lentille, *f.*, lens

lequel, which one

lettre, *f.*, letter; **à la —,** literally; *pl.*, letters, literature

lever: se —, to get up; *noun, m.*, **— du soleil,** sunrise

lèvre, *f.*, lip

liaison, *f.*, connection, communication, link

libérer, to liberate, free

libre, *a.*, free

librement, freely, without restraint

Libye, *f.*, Libya

liège, *m.*, cork

lier, to connect, tie, bind; **se —,** to be connected

lieu, *m.*, place; **au — de,** instead of; **avoir —,** to take place, to happen; **en dernier —,** lastly; **donner — à,** to give rise to; **en premier —,** first of all; **avoir — de,** to have reason to; **s'il y a —,** " if there is occasion "

ligne, *f.*, line

limaille, *f.*, filings

limpidité, *f.*, clearness

lit, *m.*, bed

litre, *m.*, liter (*1000 cubic centimeters, slightly more than a liquid quart*)

livre, *m.*, book; **à — ouvert,** at sight; *f.*, pound

livrer, to deliver, fight; **se — à,** to engage in; *pp.*, " put on the market "

local, *m.*, building, quarters, workroom

locataire, *m.*, tenant
logement, *m.*, lodging(s)
loger, to lodge, dwell, live
logique, *a.*, logical
loi, *f.*, law
loin, far
lointain, *a.*, distant, remote
loisir, *m.*, leisure
Londres, London
Longitudes, Bureau des, Central Astronomical Office
longtemps, for a long time, a long time
longueur, *f.*, length
lors, then; **— de,** at the time of
lorsque, when
louer, to rent
loup, *m.*, wolf
lourd, *a.*, heavy
lui-même, himself; **en —,** by itself
lumière, *f.*, light; *see* **mettre**
lunatique, *a.*, lunatic, crack-brained
lundi, *m.*, Monday
lune, *f.*, moon
lut: il —, he read **(lire)**
lutte, *f.*, struggle
lutteur, *m.*, wrestler, fighter
luxe, *m.*, luxury
Lyon, Lyons
lyonnais, *a.*, of Lyons, Lyonese

M

machinal, *a.*, mechanical
machine, *f.:* **— à feu,** firearm, steam engine
mâchoire, *f.*, jaw(s)
magie, *f.*, magic
magistrat, *m.*, magistrate, judge
magnifique, *a.*, magnificent
main, *f.*, hand
maint, many a; **à maintes reprises,** on many different occasions; *pl.*, many
maintenant, now
maintenir, to keep up, keep
mais, but
maison, *f.*, house
maître, *m.*, master, teacher
maîtresse, *a.*, chief, most important; *f.*, mistress
maîtriser, to master, control
Majorque, *f.*, Majorca (*island in the Mediterranean, near Barcelona*)
mal, *m.*, disease; **— de tête,** headache; *adv.*, badly, ill, poorly
malade, *m.*, patient; *a.*, ill, sick
maladie, *f.*, illness, disease
malaisé, *a.*, difficult
malfaisance, *f.*, malfeasance, evil-mindedness
malgré, in spite of
malheur, *m.*, misfortune; **par —,** unfortunately
malheureusement, unfortunately
malheureux, *a.*, unfortunate
malsain, *a.*, unhealthy
mamelle, *f.*, breast; **à la —,** " at their mother's breast "
Manche, *f.*, English Channel
manche à balai, joystick (*aviation*)
mandat, *m.*, mandate, commission
manier, to handle
manière, *f.*, manner, way; **en — de,** by way of; **d'une — générale,** in a general way; **de — à,** so as to

manifeste, *m.*, manifesto; *a.*, evident, clear
manipulateur, *m.*, (signaling) key
manœuvre, *f.*, handling, managing
manœuvrier, *a.*, skillful in maneuvers
manque, *m.*, lack
manquer, to lack, be lacking; **— de**, to lack; **— de faire qu.ch.**, to fail to do sth.
mansarde, *f.*, attic
maquis, *m.*, jungle growth, bush; *see note 1 on Ferdinand de Lesseps*
marche, *f.*, course, working, running, step, progress; **mettre en —**, to start
marché: **à bon —**, cheap
mardi, *m.*, Tuesday
marée, *f.*, tide
mari, *m.*, husband
mariage, *m.*, marriage
marine, *f.*, navy
marmite, *f.*, cooking pot
marquant, *a.*, outstanding
marquer, to mark, point to
marron, *a.*, chestnut (color)
masquer, to mask, hide
masse, *f.*, mass, weight
matérialiser, to materialize
mathématique, *a.*, mathematical
matière, *f.*, material, subject, matter; **— première**, raw material
matin, *m.*, morning; **le —**, in the morning
matinalement, early (in the morning)
mauvais, *a.*, bad
mécanique, *f.*, mechanics
mécompte, *m.*, error
méconnu, ignored, little appreciated
médaille, *f.*, medal
médecin, *m.*, doctor
méditer, to meditate
mélange, *m.*, mixture
Melbourne, *port in Australia*
mêler, to mix, mingle; **s'en —**, to interfere; **— à**, to mix with
mélinite, *f.*, melinite (*explosive*)
même, same, very, even; **de —**, in the same way; **de — que**, in the same way as; **cela —**, that very thing; **à — de**, capable of
mémoire, *f.*, memory; *m.*, paper, treatise
menacer, to threaten
ménage, *m.*: **faire le —**, to do the housework
ménager, to spare, save
mener, to lead
mensonge, *m.*, lie, lying
mentir, to lie
menuisier: **ouvrier —**, joiner
mépris, *m.*, scorn
mer, *f.*, sea
mère, *f.*, mother
méridional, *a.*, southern
mérite, *m.*, merit; *pl.*, deserts
mériter, to deserve
merveille, *f.*, marvel; **faire —**, to accomplish marvels; **à —**, marvelously
merveilleux, *a.*, marvelous
mésalliance, *f.*, improper alliance (*especially by marriage*), improper union
mesure, *f.*, measurement; **à — que**, in proportion as, while
métal, *m.*, metal
métallographie, *f.*, metallogra-

phy (*science of internal structure of metals*)
métaphysique, *a.*, metaphysical
méthodique, *a.*, methodical
métier, *m.*, trade; **de —,** by profession
mètre, *m.*, meter
mettre, to put; **— qu.ch. en lumière,** to bring sth. to light; **— au point,** to perfect; **— au courant,** to inform; **— en jeu,** to put into motion; **— en doute,** to doubt; **— qu.ch. en œuvre,** to avail oneself of sth.; **se — à,** to begin; **se — en devoir de faire qu.ch.,** to prepare to do sth.; *pp.*, **mis,** put, " set "
meurtrier, *a.*, murderous
midi, *m.*, noon
mieux, better; **le —,** the best, best
milieu, *m.*, environment, " circle," middle; **au — de,** in the middle of
militaire, *m.*, military man, soldier
milliard, *m.*, billion
millier, *m.*, (a) thousand; **des —s** thousands
millionième, *m.*, millionth
mince, *a.*, thin
minerai, *m.*, ore
minime, *a.*, tiny, imperceptible
ministère, *m.*, ministry
minuit, *m.*, midnight
minuscule, *a.*, tiny, small, minute
minutieusement, minutely
miroir, *m.*, mirror, reflection
mise, *f.*: **— au point,** perfecting; **— en œuvre,** bringing into play, availing oneself of; (*pp. of* **mettre**), *f.*, placed, put
misère, *f.*, misery, want
mit: il —, he put (**mettre**)
mitrailleuse, *f.*, machine gun
mobile, *a.*, mobile, movable
mobilier, *m.*, furniture
mode, *m.*, method
modeste, *a.*, modest, small
moindre, *a.*, less, lesser; **la —,** the least, the slightest
moins, less; **le —,** the least; **au —,** at least; **ne . . . pas . . . —,** no less; **il n'en continuait pas —,** he continued none the less; **du —,** at least; **à — que,** unless
mois, *m.*, month
moitié, *f.*, half; **de —,** by 50 per cent
molécule, *f.*, molecule
mollir, to weaken
moment, *m.*, moment, instant; **par —,** momentarily
mondain, *a.*, fashionable, worldly, social
monde, *m.*, world; **tout le —,** everybody
mondial, *a.*, world's, world
monochromatique, *a.*, of a single color
monoplan, *m.*, monoplane
monopole, *m.*, monopoly
montagne, *f.*, mountain
montagneux, *a.*, mountainous
monter, to rise, go up; **— à cheval,** to ride; **se —,** to be set up; *pp.*, manned
montre, *f.*, watch, show; **faire — de,** to make a show of
montrer, to show
moqueur, *a.*, scoffing

morale, *f.*, morals, ethics, morality
morceau, *m.*, piece, bit, portion
mordant, *a.*, biting
mordre, to bite
morsure, *f.*, bite
mort, *f.*, death
mortel, *a.*, fatal
mot, *m.*, word
moteur, *m.*, motor; **— à vapeur**, steam motor, steam engine
motif, *m.*, motive, " motto," theme (*in music*)
mouche, *f.*, fly, tuft of hair on lower lip
mouillé, *a.*, wet
mouiller, to wet, moisten, soak
mourir, to die
mouvoir, to move; **se —**, to move
moyen, *a.*, average, middle, mean; *m.*, method, means; **au — de**, by means of; **moyen âge**, Middle Ages
mû (*pp. of* **mouvoir**), moved
mugir, to roar
munir, to equip, furnish, provide
mur, *m.*, wall
mûr, *a.*, ripe, middle-aged, mature
musée, *m.*, museum
mutation, *f.*, change
mystère, *m.*, mystery
mythologique, *a.*, mythological, of mythology

N

nager, to swim
naissance, *f.*, birth
naissant, *a.*, nascent
naître, to be born
naquit: **il —**, he was born
natal, *a.*, native
Natal, *city in Brazil*
naturel, *a.*, natural, native
nauséabond, *a.*, nauseating, foul
navire, *m.*, ship
ne . . . que, only
né, born
néanmoins, nevertheless
néant, *m.*, nothingness
négliger, to neglect
nerf, *m.*, nerve
net, *a.*, clear, plain, precise
nettement, clearly
netteté, *f.*, cleanness, clearness
neuf, nine; *a.*, new
neutron, *m.*, neutron (*an atom which is electrically neutral*)
neveu, *m.*, nephew
nez, *m.*, nose, " head "
nier, to deny
nivôse, *m.*, *fourth month of the French Republican calendar* (*December–January*)
noir, *a.*, black, dark
nom, *m.*, name
nombre, *m.*, number
nombreux, *a.*, numerous
notamment, notably
notice, *f.*, notice, account
nourri, fed, nourished
nourricier, *a.*, nutritive, nutritious
nourriture, *f.*, food, " fuel "
nouveau, *a.*, new; **à —**, anew, once more; **de —**, once more
nouveauté, *f.*, newness, novelty
Nouvelle-Écosse, *f.*, Nova Scotia
nouvelles, *f.pl.*, news
novateur, *m.*, innovator
noyau, *m.*, nucleus
noyer, to " bed " (*in cement*)
nuage, *m.*, cloud
nuageux, *a.*, cloudy

nuance, *f.*, nuance, shade
nuire, to harm
nul . . . ne, nobody
nullement, in no way, not at all
nullité, *f.*, emptiness (*of mind, inability to grasp the rudiments of a subject*)
nu-tête, bare-headed

O

objet, *m.*, object
obligé, obliged, compelled
obscurité, *f.*, darkness
obsèques, *f.pl.*, funeral
obstiner: s'— à faire qu.ch., to show obstinacy, insist on doing sth.
obstruer: s'—, to become blocked *or* choked
obtenir, to obtain, receive
obtus, *a.*, stupid
occasion, *f.*, occasion, opportunity
occident, *m.*, west, occident
occuper, to occupy, " busy "; **s'— de,** to busy oneself with, deal with
œil, *m.*, eye
œuf, *m.*, egg
œuvre, *f.*, work; **le grand —,** the great work (*in s. only*); *see* **mettre, mise**
offensé, offended
ombre, *f.*, shadow
omettre, to omit
onde, *f.*, wave
ondulatoire, *a.*, wavy, undulatory, " wave "
onze, eleven
opérer, to operate; **s'—,** to take place
opiniâtre, *a.*, stubborn
opposé, *m.*, opposite; *a.*, opposite
oppression, *f.*, difficulty (*in breathing*)
opprobre, *m.*, disgrace
optique, *f.*, optics
or, *m.*, gold; *adv.*, now
orage, *m.*, storm
orateur, *m.*, speaker
orbe, *m.*, circle, curve
ordinaire: d'—, usually
ordonnance, *f.*, order, decree
ordre, *m.*, order, " realm," kind
oreille, *f.*, ear
organe, *m.*, part, organ
orientation, *f.*, orientation, direction
orienter, to direct
originaire, *a.*, original; **— de,** native of
originairement, originally
origine, *f.*, origin; **d'—,** original; **— première,** original source
os, *m.*, bone
oser, to dare
ou, or
où, when, where, in which
oubli, *m.*, oblivion
oublier, to forget
outil, *m.*, tool
outiller, to equip
outre, besides, beyond; **en —,** besides; **passer —,** to proceed further
ouvert, open, opened
ouverture, *f.*, opening
ouvrage, *m.*, work
ouvrier, *m.*, workman; **— menuisier,** joiner
ouvrir, to open
oxyacétylénique, *a.*, oxyacetylene (*blowpipe, gas, welding*)

P

pacifique, *a.*, pacific, peaceful
paisible, *a.*, peaceful, quiet
paix, *f.*, peace
pâleur, *f.*, pallor
palmes, *f.pl.*, palms (*insignia of honor*), " laurels "
panne, *f.*, breakdown, engine failure
pantoufle, *f.*, slipper
papier, *m.*, paper
paquebot, *m.*, liner, steamer
par, by, " through "; **— cela même,** by that very fact
parade, *f.*, stopping, parry (*fencing*)
paradoxal, *a.*, paradoxical
paraître, to seem, appear
parcelle, *f.*, small fragment, part
parcourir, to traverse
parcours, *m.*, distance, run, course
par-dessus, over, above
pardonner: qui ne pardonne guère, unsparing, fatal
pareil, *a.*, like, similar, " like that "
parenté, *f.*, kinship, relationship
parents, *m.pl.*, relatives, kin
parer, to adorn, ward off; **se —,** parade, boast
paresse, *f.*, laziness, sluggishness
paresseux, *a.*, lazy
parfait, *a.*, perfect
parfaitement, perfectly, entirely
parfois, sometimes
parier, to bet, wager
parlement, *m.*, parliament, assembly
parler, to speak
parmi, among
paroi, *f.*, wall (*of vessel*)
parole, *f.*, word, speech
parsemé, dotted, strewn
part, *f.*, share, profit; **pour une grande —,** to a large extent; **lui faire sa —,** to allot him his share; **nulle —,** nowhere; **d'une — . . . d'autre —,** on the one hand . . . on the other; **d'autre —,** furthermore; **de la — de,** on the part of
partage, *m.*, division, share, sharing; **sans —,** unrivaled
partager, to share
parti, *m.*, advantage
participer, to participate, have a share
particulier, *a.*, peculiar, special, individual
partie, *f.*, part; **faire —,** to join
partir, to leave; **à — de,** from that time forth, starting out from
partout, everywhere; *see* **peu**
paru, appeared
parvenir, to reach; **— à,** to arrive at (reach); **— à faire,** to succeed in doing
passé, *m.*, past
passer, to pass; **se —,** to happen; **se — de,** to do without; **— un examen,** to take an examination
pastorien, *a.*, of Pasteur
paternel, *a.*, paternal, of his father
pathologie, *f.*, pathology
patrimoine, *m.*, heritage
patrimonial, *a.*, patrimonial (*estate, inheritance*)
pavé, *m.*, street
pays, *m.*, country
paysan, *m.*, peasant

pechblende, *f.*, pitchblende
peine, *f.*, difficulty, trouble; **à —,** scarcely
penchant, *m.*, slope, leaning, inclination
pencher: se —, to lean forward
pendant, during, " for "; **— que,** while
pendule, *m.*, pendulum; *f.*, clock
pensée, *f.*, thought
penser, to think; **— à,** to think of
penseur, *m.*, thinker
pente, *f.*, slope, incline
percée, *f.*, cutting
percement, *m.*, cutting
percer, to pierce, cut through, cut
perdre, to lose, destroy; **se —,** to get lost
père, *m.*, father, " senior "
perfectionnement, *m.*, improvement
perfectionner, to perfect, improve
période, *f.*, cycle
périr, to perish, die
permis (*pp. of* **permettre**), permitted
péroraison, *f.*, peroration
perpétuel, *a.*, perpetual, permanent
perpétuer, to perpetuate
personnage, *m.*, character
personne, *f.*, person; **— . . . ne,** nobody; **ne . . . —,** nobody
perte, *f.*, loss
perturbateur, *a.*, disturbing, upsetting
pesanteur, *f.*, heaviness, weight
pesée, *f.*, weighing
peser, to weigh
pétillant, *a.*, crackling, sparkling
petit, *a.*, small, short
pétulant, *a.*, irrepressible
peu, little; **un — partout,** almost everywhere; **— à —,** little by little; **— de temps,** in a short time; **— de,** few; *see* **près, quelque**
peuple, *m.*, nation
peut-être, perhaps
pharmacien, *m.*, druggist, pharmacist
pharmacopée, *f.*, pharmacopoeia (*the list of all known drugs with their properties and use*)
phénomène, *m.*, phenomenon
philosophe, *m.*, philosopher
philosophie, *f.*, philosophy
phosphore, *m.*, phosphorus
phosphorique, *a.*, phosphoric (acid)
photographe, *m.*, photographer
phrase, *f.*, sentence
physicien, *m.*, physicist
physique, *f.*, physics; *a.*, physical
pic, *m.*, (mountain) peak
pièce, *f.*, room; **de toutes —s,** out of nothing
pied, *m.*, foot
pierre, *f.*, stone
pieusement, reverently, faithfully
pieux, *a.*, devoted
pile, *f.*, pile, battery
piloter, to pilot
pin, *m.*, pine tree
pioche, *f.*, pickax
pionnier, *m.*, pioneer
piquant, *a.*, piquant, clever, charming
piquer, to prick, annoy
pire, *a.*, worse
piston, *m.*, piston

place, *f.*, situation, position, seat; **à la — de,** instead of, in place of
plafond, *m.*, ceiling
plaie, *f.*, wound
plaindre, to pity; **se — de,** to complain of
plaine, *f.*, plain
plaire, to please; **s'il vous plaît,** please, if you please
plaisant, *a.*, amusing, pleasant
plaisir, *m.*, pleasure
plan, *a.*, plane, level; **— étagé,** plane; *pl.*, planes rising in tiers
plancher, *m.*, floor
plané, *a.*, gliding
planement, *m.*, gliding
planétaire, *a.*, planetary
plaque, *f.*, plate, sheet; **— de blindage,** armor plate
plat, *m.*, dish; *a.*, flat
plateau, *m.*, tray
platiné, platinum-plated, platinized
pléiade, *f.*, pleiad
plein, *a.*, full, entire, " open "; **faire le —,** to fill up (*aviation*)
pleinement, to the full, fully, entirely
pli, *m.*, fold, letter
pliant, *m.*, folding chair, camp stool
plomb, *m.*, lead
plongée, *f.:* **en —,** submerged
plonger, to dip
pluie, *f.*, rain
plume, *f.*, pen
plupart: la — des, most of the; **pour la —,** mostly
plus: de —, " more than that," furthermore, even more; **non —,** not (either), no longer; **puis —,** then no more; **de — en —,** more and more
plutôt, rather, sooner
poche, *f.*, pocket
poêle, *m.*, stove
poids, *m.*, weight; **— utile,** pay load, useful load
poignée, *f.:* **— de main,** handshake
point, *m.*, point; **être au —,** to be perfected; **— de départ,** starting-point; **du — de vue,** from the point of view; **en tout —,** in every respect
pointe, *f.*, " suggestion," point, tip
poli, *a.*, polished, shining
politique, *f.*, politics; *a.*, political
pompe, *f.*, pump
pondérable, *a.*, weighable
pondéral, *a.*, pertaining to *or* determined by weight, ponderal
pont, *m.*, bridge
poreux, *a.*, porous
porte, *f.*, door
portée, *f.*, range, importance, " full significance "; **à la —,** within reach
porter, to carry, bear, " have," wear, " promulgate," " deal," " raise," bring, incline; **— sur,** to deal with
porteur, *m.*, bearer
posément, deliberately, steadily
poser, to place, set down, lay down, ask (*a question*), pose; **se —,** to claim the attention, land (*aviation*)
posséder, to possess
poste, *m.*, station
postulat, *m.*, postulate
potage, *m.*, soup

poudre, *f.*, powder; **— à canon,** gunpowder
poumon, *m.*, lung(s)
pour, for, in order to; *see* **plupart; — que,** *requires subjunctive*
pourquoi, why
poursuivre, to " carry on," proceed, pursue, continue, follow
pourtant, however, yet, nevertheless
pourvu (*pp. of* **pourvoir**), supplied
pousser, to push, carry through, utter, " go," drive
poussière, *f.*, dust
pouvoir, *m.*, power; *vb.*, to be able; **on ne peut plus mauvaises,** as bad as they could be
praticien, *m.*, practitioner
pratique, *f.*, practice, application, use, experience; *a.*, practical
pratiquer, to make, " cut in "
préalable: au —, to begin with, beforehand
prêcher, to preach; **— d'exemple,** to practice what one preaches
précipitation, *f.*, precipitation, hot haste
précis, *a.*, precise, exact
précisément, precisely
préciser, to be explicit, explain clearly, express precisely
précisions, *f.pl.*, exact information, precise details
précocité, *f.*, precocity
préconçu, preconceived
préconiser, to advocate
précurseur, *m.*, precursor
préjugé, *m.*, prejudice
prélever, to take, remove
premier, *a.*, first; *see* **force**
prendre, to take, " take on "; **— une résolution,** to make a resolution, resolve; **il n'y prit point garde,** he paid no attention to it; **on ne l'y prendrait plus,** he wouldn't be taken in any more; **prenez garde,** be careful, watch out
préparateur, *m.*, laboratory assistant
préparer, to prepare, prepare for
près: — de, near, close to, almost; **à peu —,** almost; **à ces variantes —,** save for these variants
présentement, at the present time
présenter, to present, introduce
presque, almost
pressé, *a.*, in a hurry, eager
pressentir, to have a presentiment of
presser, to urge, " beset "
pression, *f.*, pressure
prestidigitateur, *m.*, juggler
prestigieux, *a.*, amazing
prêt, *a.*, ready
prétendre, to claim, maintain
prétendu, *a.*, " would-be," alleged
prêter, to lend
prêtre, *m.*, priest
preuve, *f.*, proof
prévaloir: se — de, to take advantage of, avail oneself of
prévenir, to inform
prévention, *f.*, prejudice, bias
prévision, *f.*, foresight, forecast, expectation
prévoir, to foresee, predict; *pp.*, **prévu,** foreseen

prier, to beg
princeps mathematicorum, *Latin phrase meaning* most eminent of mathematicians
principe, *m.*, principle
printemps, *m.*, spring
prise, *f.*: **— de courant**, wall plug, connection; **lâcher —**, to loosen one's hold
prit: **il —**, he took (**prendre**)
privation, *f.*, deprivation
priver, to deprive
privilégié, *m.*, privileged person
prix, *m.*, value, price; **— de revient**, cost price; **au — de**, in comparison to (with)
probablement, probably
procédé, *m.*, process, method
procès, *m.*, trial
prochain, *a.*, next, " coming "
proche, *a.*, near; **de — en —**, step by step, by degrees
prodigieusement, extraordinarily
prodigieux, *a.*, marvelous, extraordinary, great, stupendous
prodigue, *a.*, lavish
produire, to produce; **se —**, to happen, take place
produit, *m.*, product
profane, *m.*, layman, uninitiate
professer, to teach
professeur, *m.*, professor, teacher
profit: **à son —**, to his advantage
profond, *a.*, profound, deep; **-ément**, deeply, thoroughly
profondeur, *f.*, depth
programme, *m.*, syllabus, curriculum
progrès, *m.*, progress
proie, *f.*, prey
projet, *m.*, plan
projeter, to project, show, " film," contemplate, plan
prolongé, prolonged, long (continued)
prolonger, to extend, prolong
promenade, *f.*: **— militaire**, route march
promeneur, *m.*, stroller
promit: **il —**, he promised (**promettre**)
promotion, *f.*: **camarade de —**, classmate
promptitude, *f.*, alertness, quickness (*of mind*)
promu (*pp. of* **promouvoir**), promoted
propager: **se —**, to be propagated, spread
propos: **à ce —**, in this connection; **à — de**, with reference to, concerning; **à —**, appropriate, proper
propre, *a.*, clean, own, proper, very
proprement, properly, strictly speaking; **a — parler**, strictly speaking
propriété, *f.*, property
prosaïquement, prosaically
proscription, *f.*, banishment, proscription
Protée, *m.*, Proteus, *sea god, fabled to assume various shapes*
protéger, to protect
provenir, to arise; **— de**, to arise from
provincial, *a.*, provincial, "country"
provisoirement, provisionally, for the time being

prudemment, prudently
prudence, *f.*: **par —**, from caution
public, *m.*, public, audience
publicité, *f.*, advertising
publier, to publish
puis, then
puisque, since
puissamment, " greatly," powerfully
puissance, *f.*, power; **toute-—**, omnipotence
puissant, *a.*, powerful; **tout-—**, omnipotent
pupitre, *m.*, desk
purement, purely
pyromètre, *m.*, pyrometer (*instrument for measuring high temperatures, usually those higher than can be measured by the mercurial thermometer*)

Q

qualité, *f.*, rank
quand, when; **— même**, anyhow; *with the conditional*, even if
quant à, as for
quarante, forty
quart, *m.*, quarter
quartier, *m.*, quarter, neighborhood
quasi, almost
quatorze, fourteen
que de, how many
quelconque, any whatever
quelque, *a.*, some; *pl.*, a few; **— chose**, something
quelque peu, somewhat
quelques-uns, a few, some
quinzaine, *f.*, fortnight
quinze, fifteen
quitter, to leave, let go of; **— des yeux**, to take one's eyes off
quoi: **en — que ce soit**, in any way whatever; **— qu'il en soit**, be that as it may; **— qu'il dût advenir**, whatever was to come of it
quoique, *with the subjunctive*, although
quotidien, *a.*, daily

R

rabat: **vent de —**, driving wind
race, *f.*, race, family
racé, *a.*, pure, of pure stock
raconter, to tell, relate
radicalement, radically, completely
radiesthésie, *f.*, " extrasensory perception " (*a pseudo science related to mental telepathy and the art of divination*)
radioazote, *m.*, radionitrogen
radiosilicium, *m.*, radiosilicon
rafraîchir, to cool, refresh
rage, *f.*, rabies, hydrophobia
rageur, *a.*, violent-tempered, " **a** devil "
raidir: **se —**, to stiffen, pull oneself together
raison, *f.*, reason, explanation, intelligence; **avoir —**, to be right; **en — de**, because of
raisonné, *a.*, thought out
raisonnement, *m.*, argument
ramasser, to pick up, collect
ramener, to lead back; **— qu.ch. à**, to reduce sth. to
rancune, *f.*, spite, anger, rancor
randonnée, *f.*, flight, run, trip
rang, *m.*, row, rank
ranger, to set in rows, arrange

ranimer, to revive, stir afresh
rapatrier, to repatriate, send home from abroad
rappeler, to recall, remind one of; **se —,** to remember, recall
rapport, *m.*, relationship, proportion; **par — à,** with regard to, " from "; **sous ce —,** in this regard, in this respect; **en —,** in harmony
rapporter, to report, ascribe, bring back; **se — à,** to refer (have reference) to, be concerned with
rapprochement, *m.*, comparison, parallel, bringing together
rapprocher: — de, bring close to; **se — de,** to draw near to
ras: au — du sol, on a level with the ground, close to the ground; *see* **table**
rassembler, to (re)assemble
rationnel, *a.*, theoretic, rational, pure
ravir à, to steal from, take from
rayé, *a.*, rifled
rayer, to strike out, remove; *see* **rayé**
rayon, *m.*, ray, radius
rayonnement, *m.*, radiation
rayonner, to radiate
réagir, to react
réalisateur, *m.*, one who works out plans, worker out (of plans)
réalisation, *f.*, carrying out, carrying into effect, practical effect, achievement, practical application
réaliser, to achieve, attain, effect, bring into being, accomplish
rebelle, *a.*, rebellious
rebord, *m.*, edge, rim
rebuter, to rebuff, discourage
recette, *f.*, receipt(s)
recevoir, to receive, accept
recherche, *f.*, research; *pl.*, experiments
recherché, sought out, sought after
rechercher, to search for, seek out
réciproque, *a.*, reciprocal
récit, *m.*, account, story
réclamer, to require
récompense, *f.*, reward
reconnaissance, *f.*, scouting, exploring
reconnaissant, *a.*, grateful
reconnaître, to recognize, " admit "
reconstruire, to reconstruct, rebuild
recourir à, to have recourse to
recours, *m.*, recourse
reçu (*pp. of* **recevoir**), admitted; **être —,** to pass, qualify
recueillir, to collect, gather, " take in "; *pp.*, silent, collected
recul, *m.*, recession, retreat
redevable, *a.*, indebted
rédiger, to write, draw up, compose
redoubler, to redouble, increase
redoutable, *a.*, deadly, dangerous
redouter, to fear
réducteur, *m.*, reducing agent
réduire, to reduce
réduit, *m.*, retreat
réfléchir, to reflect; **se —,** to be reflected

refroidir, to chill, cool
refus, *m.*, refusal
regard, *m.*, look, glance, notice
regarder, to look at, consider
régime, *m.*, range, rate (*of speed*)
régir, to govern
réglage, *m.*: **— du tir**, ranging, control of fire
règle, *f.*, rule
régler, to settle
règne, *m.*, reign, kingdom
régner, to reign, run, rule, prevail
regret: **à —**, regretfully
reine, *f.*, queen
relâche, *m.*, rest, respite
relever, to raise; **se —**, to elevate oneself
relief, *m.*: **en —**, in relief, raised; **mettre en —**, to set off, throw into relief
relier, to join, connect
remarque, *f.*, remark, observation
remarquer, to notice
rembourser, to reimburse
remède, *m.*, remedy
remercier, to thank
remettre, to put back, replace
remonter, to go back, climb back
remplaçant, *m.*, substitute
remplacer, to replace
remplir, to fill, fulfill; *pp.* " crowded "
remue-ménage, *m.*, bustle, moving about of furniture
remueur, *m.*, one who stirs up
rencontre, *f.*, meeting; **à la — de**, to meet
rencontrer, to meet, come across
rendement, *m.*, yield, efficiency, output
rendre, to return, make, render, give forth; **— raison de**, to explain, account for; **se — à**, to yield to, give in to, to come to; **se — compte de**, to verify, ascertain, realize
renfermer, to enclose, contain, include
renommée, *f.*, renown
renoncer à, to renounce, give up
renouveau, *m.*, renewal
renouveler, to renew; **se —**, to be renewed
renseignement, *m.*, information
renseigner, to inform
rente, *f.*, income
rentrer, to come back, re-enter, return, belong
renverser, to upset, overthrow, " revolutionize "
répandre, to spread, scatter, give off, distribute; **se —**, to become known
repas, *m.*, meal
repentir: **se — de**, to repent of
repérage, *m.*, marking, registering, ranging
repérer, to watch closely
répétiteur, *m.*, lecturer, tutor
répétition, *f.*, rehearsal, repeater (*of a watch*); **— générale**, final rehearsal, dress rehearsal
replier, to fold up again; **se — sur soi-même**, to fall back on one's thoughts
répondre, to answer, reply
reposer sur, to rest upon, be based upon
repousser, to repel
reprendre, to regain, resume, take up again; *pp.*, taken up again

reprise, *f.:* **à maintes —s,** over and over again
réputé, thought; *a.*, well-known
requis, required, requisite
résigner: se — à, to resign oneself to
résolu, *pp. of* **résoudre**
résoudre, to solve, resolve
respectueux, *a.*, respectful
respirer, to breathe
resplendir, to shine
resplendissant, *a.*, brilliant, resplendent
ressentir, to feel, experience
resserrer: se —, to become closer (tighter)
ressort, *m.*, spring
reste, *m.*, remains; **du —,** besides; **au —,** moreover
rester, to remain
restreindre: se —, to restrict oneself
restreint, *a.*, limited, restricted
résultant, *a.*, resulting
résultat, *m.*, result
rétablir, to re-establish, restore
retard: en —, late
retarder, to delay, be slow (*of a watch*)
retenir, to retain, restrain, hold back, " remember "
retentissement, *m.*, effect; **avoir un immense —,** to cause an immense stir
retirer, to withdraw, extract, " pull out "; **se —,** retire, withdraw; *pp.*, secluded
retour, *m.*, return; **— en arrière,** backfire
retraite, *f.*, retreat
retranché, *pp.*, cut off
rétribué, *a.*, payed for, paid
retrouver, to find again, meet again
réunir, to collect, assemble; **— à,** to join to, connect to; **se —,** to meet; *pp.*, met
réussir, to succeed, accomplish
réussite, *f.*, success
rêve, *m.*, dream
révéler, to reveal; **se —,** to be revealed
revendiquer, to claim
revenir, to come back; **— à,** to belong to; **— sur,** to reconsider, retrace, review
revenu, *m.*, income
rêver, to dream
revêtir, to cover
revue, *f.*, review, magazine
rien, nothing, anything; **— d'autre,** nothing else
rigide, *a.*, rigid
rigoureux, *a.*, rigorous, scientifically accurate
rigueur, *f.*, rigor; **à la —,** at the worst
roc, *m.*, rock
roi, *m.*, king
romain, *a.*, Roman
roman, *m.*, novel
romancier, *m.*, novelist
rompre, to break
rond, *m.*, circle, " round "
roseau, *m.*, reed
rosette, *f.*, rosette, ribbon
rotatif, *a.*, rotary (motor)
roue, *f.*, wheel
rouge, *m.*, red, red heat
rougir, to blush, redden
rouillé, *a.*, rusty
rouler, to roll, travel, run
route, *f.*, road

rubané, *a.*, striped, colored
rue, *f.*, street

S

sable, *m.*, sand
sagacité, *f.*, sagacity, shrewdness
sagesse, *f.*, wisdom
saisir, to grasp, take hold of, " understand "; *pr.p.*, " gripping "
salle, *f.*, room
salon, *m.*, salon, drawing-room, " circle "
saluer, to greet, hail, salute
salut, *m.*, safety, salvation
samedi, *m.*, Saturday
sang, *m.*, blood
sanglant, *a.*, bloody
sanglot, *m.*, sob
sanguinolent, *a.*, bleeding, open (*wound*)
sans, without; **— quoi,** otherwise
santé, *f.*, health
satisfaire, to satisfy
sauf, save, but, except
saurait: il —, he would know, he could (*from* **savoir**)
sauter, to explode, jump
sauteur, *m.*, jumper
sauver, to save
sauveur, *a.*, healing
savant, *m.*, scientist, scholar; *a.*, learned, scientific
savoir, to know; *before infinitive*, to know how; **à —,** namely, to wit; *m.*, knowledge
schéma, *m.*, diagram
scolastique, *f.*, scholasticism, scholastic philosophy (*medieval metaphysical discussions*)
scrupule, *m.*, scruple
scrupuleux, *a.*, scrupulous
séance, *f.*, meeting, session, " performance "
Sébastopol, *Russian port taken in 1855 during the Crimean War*
sec, *a.*, dry
secours, *m.*, aid
secousse, *f.*, shock
secteur, *m.*, sector, quadrant
sécurité, *f.*, safety
sein, *m.*, bosom
séjour, *m.*, stay, sojourn
sel, *m.*, salt
selle, *f.*, saddle
selon, according to, depending upon
semaine, *f.*, week
semblable, *a.*, like, similar, alike
sembler, to seem
semer, to strew
sens, *m.*, meaning, direction, sense
sensibilité, *f.*, sensitivity, sensitiveness
sensible, *a.*, sensitive, perceptible, visible, considerable, noticeable
sentiment, *m.*, sentiment, opinion, feeling
sentir, to feel, smell of
sept, seven
série, *f.*, series, number
seringue, *f.*, syringe, bulb
serré, *a.*, close, compact, " thorough "
serrer, to press close, press, clasp, shake; **— sous clef,** to lock up, put away
servir, to serve, be of use; **se — de,** to use; **à quoi sert,** of what use is

seul, *a.*, sole, single, only, alone
seulement, only
sévère, *a.*, severe
sextuple, sextuple, of six figures
siècle, *m.*, century
siège, *m.*, seat, place, siege
siéger, to sit
sien, -ne, his (her) own
signaler, to point out, refer to
Simplon, Simplon Pass
simultanément, simultaneously
sinon, if not, otherwise
sinueux, *a.*, winding, sinuous
situer, to situate, place, locate
société, *f.*, society, company
soie, *f.*, silk
soigner, to treat, care for
soigneusement, carefully
soin, *m.*, care
soir, *m.*, evening; **le —,** in the evening
soit, either, or; **— . . . —,** either . . . or
soixante, sixty
sol, *m.*, ground, soil
sole, *f.*, hearth (*furnace*)
soleil, *m.*, sun
solénoïde, *m.*, solenoid, long coil
solidarité, *f.*, solidarity
soliloque, *m.*, soliloquy
sollicitation, *f.*, solicitation, earnest request, entreaty
sollicitude, *f.*, solicitude, care, concern
sombre, *a.*, somber, dark; **il fait —,** it is getting dark
sombrer, to sink, " go on the rocks "
sommaire, *a.*, summary, rapid, imperfect
somme, *f.*, sum
sommet, *m.*, summit
son, *m.*, sound
sondage, *m.*, sounding
songer (à), to think (of)
sonnette, *f.*, bell
sort, *m.*, fate
sorte, *f.*, sort, kind; **en — que,** so that; **de — que,** so that; **en quelque —,** in a manner of speaking
sortie, *f.*, exit, departure, going out; **à la —,** when it leaves
sortir, to go out, leave, issue
soubresaut, *m.*, jolt
souci, *m.*, care, trouble
soucier: se — de, to care about, trouble oneself about
soudain, suddenly
soudure, *f.*, welding, soldering; **— autogène,** lead-burning, autogenous welding, oxyacetylene welding
souffle, *m.*, breath, puff of wind
souffler, to breathe
soufflet, *m.*, bellows
souffrance, *f.*, suffering
souffrant, *a.*, suffering, ailing, ill
soufre, *m.*, sulphur
souhaiter, to wish
soulager, to comfort, relieve
soulever, to arouse, raise, lift; **se —,** to rise
souligner, to underline, accentuate
soumettre, to submit
soupçonner, to suspect
souple, *m.*, nonrigid airship
sourire, to smile
sous, under, " in," " from " (*this point of view*)
souscription, *f.*, subscription
sous-entendre, to understand, suppose

sous-marin, *m.*, submarine
sous-sol, *m.*, basement
soustraire à, to take away from
soutenance, *f.*, defense
soutenir, to uphold, support, keep up, maintain
soutenu, *a.*, sustained, continuous
souvenir, *m.*, recollection, memory; *vb.*, **se — de**, to remember
souvent, often
souverain, *m.*, sovereign
spasme, *m.*, spasm, fit
spectacle, *m.*, play, entertainment
spectre, *m.*, spectrum
spirituel, *a.*, witty
spontané, *a.*, spontaneous
sportif, *m.*, sportsman
spot, *m.*, spot
stade, *m.*, stage
stupeur, *f.*, astonishment, surprise
subir, to undergo, " suffer," take (*an examination*)
subit, *a.*, sudden, unexpected
subsister, to subsist, exist, survive
succédané, *m.*: **— de**, substitute for
succéder, to follow
successivement, one after the other, in succession, successively
succomber, to succumb
Suède, *f.*, Sweden
suédois, *a.*, Swedish
suffire, to suffice, be enough
suffisamment, sufficiently
suis: je —, I follow, I take, I am
suite, *f.*, series, sequence, succession; **à la — de**, after, following; **de —**, immediately; **par —**, consequently; **par la —**, later on
suivant, *a.*, following, in accordance with, according to
suivre, to follow
sujet, *m.*, subject; **au — de**, concerning; **à ce —**, in this respect
sulfure, *m.*, sulphide
suppléant, *m.*, substitute
suppléer à, to make up for (compensate for)
supplice, *m.*, torture
supposer, to suppose, assume
suppression, *f.*, suppression, doing away with
supprimer, to suppress, do away with
suppurant, *a.*, suppurating, running (*sore*)
sur, on, upon, over
surexcitation, *f.*, overstimulation
surgir, to arise, appear; **faire —**, to bring forth
surmonter, to overcome
surnaturel, *a.*, supernatural
surplus: au —, after all
surprendre, to surprise
surprit: il —, he surprised
surtout, especially, above all
survécu, *pp. of* **survivre**
surveiller, to watch over
survenir, to arise
survivre, to survive, outlive, live
survoler, to fly over
susceptible (de), *a.*, capable (of), apt (to)
susciter, to arouse
sustentation, *f.*, lifting, holding up (*of plane*)

sut, *p.def. of* **savoir**
syncope, *f.*, syncope (*medical*), fainting fit
syndicat, *m.*, syndicate, association
synthèse, *f.*, synthesis, preparation

T

table, *f.*, table; **faire — rase de,** to make a clean sweep of, raze to the ground
tableau, *m.*, picture, " description "; **— noir,** blackboard
tablier, *m.*, apron
tâche, *f.*, task
tâcher, to try; **— de,** to try to
tandis que, whereas, while, so much so
tant, so much, so many; **— de,** so many; **— que,** as long as; **— . . . que,** both . . . and; **si — est que,** if so it be that; **— soit peu,** (be it) ever so little; **— s'en faut,** far from it
tantôt: — . . . —, at one time . . . at another time, now . . . now; now
tapissière, *f.*, delivery van, cart
tard, late
tarder, to delay; **— à,** to be long in, be slow to (in)
tasse, *f.*, cup
tâtonnement, *m.*, groping; **par —s,** by trial and error
technique, *f.*, technics, technical methods; *a.*, technical
teinte, *f.*, shade
tel, -le, such as, such, so
télémécanique, *f.*, telemechanics
tellement, to such a degree, so, so much
téméraire, *a.*, reckless, rash
témoignage, *m.*, testimony, evidence, testimonial
témoigner, to show, prove
témoin, *m.*, witness
tempe, *f.*, temple
temporairement, temporarily
temps, *m.*, weather, time; **de — en —,** from time to time; **de — à autre,** from time to time; **en même —,** at the same time; **quelque —,** for some time
tenace, *a.*, tenacious
tendance, *f.*, tendency
tendre, to extend, stretch out; **— de noir,** to darken
tendresse, *f.*, tenderness, affection
tendu, *a.*, flat (*trajectory*), tense
teneur, *f.*, amount, percentage, content
tenir, to keep, hold, occupy, consider; **— à,** to insist upon, be due to, result from; **— à faire,** to be bent on doing; **s'en — à,** to stick to; **— de,** to partake of the nature of, savor of; **— compte de,** to keep in mind (*in the negative*, to overlook); **n'y tenant plus,** not being able to stand it any longer; **nous nous y tiendrons,** there we shall stop
tentant, *a.*, tempting
tentative, *f.*, attempt
tente, *f.*, tent
tenter, to attempt; **— de,** to try to, attempt to; *pp.*, tempted, attempted
terme, *m.*, end, limit, term, point
terminer, to terminate, end

terne, *a.*, dull
terrain, *m.*, piece of ground, terrain
terre, *f.*, earth, land, estate; **— à —,** *as noun*, commonplaceness, " matter-of-factness "; **à —,** on the ground; *pl.*, *an old name for the more modern* oxides
Terre-Neuve, *f.*, Newfoundland
terrestre, *a.*, earthly, terrestrial
tête, *f.*, head
théoricien, *m.*, theoretician
théorique, *a.*, theoretic
thérapeutique, *a.*, therapeutic, healing; *f.*, medicine, art of healing
thermique, *a.*, thermal
thermochimie, *f.*, thermochemistry (*the branch of chemistry which includes all the relations between chemical action and the manifestation of heat*)
thermodynamique, *f.*, thermodynamics (*that branch of physical science which investigates the laws regulating the conversion of heat into mechanical force or energy, and vice versa*); *see* **énergétique**
thèse, *f.*, thesis, dissertation
tic, *m.*, mannerism
tige, *f.*, rod
tinter, to ring
tir, *m.*, fire, firing
tirer, to draw, pull out, gather, " withdraw," " derive "; **— tout le parti qu'il aurait pu,** to make the best possible use
tireur, *m.*, marksman
tissu, *m.*, tissue
titre, *m.*, title; **à juste —,** rightly; **au même —,** in the same sense
toile, *f.*, cloth, sackcloth
toise, *f.*, fathom (six feet)
toit, *m.*, roof
tombe, *f.*, tomb
tomber, to fall; **— sous les sens,** to be self-evident
tonnerre, *m.*, thunder
torpille, *f.*, torpedo
torse, *m.*, torso
tôt, soon
toucher, to touch, affect, concern
toujours, always, still; **allez —,** keep on going; **— est-il que,** the fact remains that
tour, *m.*, circuit, circle, turn, trick, revolution; **— à —,** in turn; **à leur —,** in their turn; **faire le — du monde,** to go around the world; *f.*, tower
tourbillon, *m.*, vortex, whirlpool (*a whirling mass or system*)
tourmenter: se —, to worry (torment oneself)
tournée, *f.*, round, trip
tournemain, *m.*: **en un —,** in the twinkling of an eye
tournoi, *m.*, tournament, tourney
tous, all; **— deux,** both
tout, all, everything; *adv.*, very; **— à coup,** suddenly; **— à fait,** entirely, exactly; **— à l'heure,** just now, a little while ago, above, in a little while, a little later; **— droit,** straight ahead; **— entier,** entirely
toutefois, however
toute-puissance, *f.*, omnipotence
tout-puissant, *a.*, omnipotent
toux, *f.*, cough
tracer, to draw
traduction, *f.*, translation

traduire, to translate
trahir, to betray
trahison, *f.*, teachery, treason; **aux —s,** with its pitfalls
train, *m.:* **— d'atterrissage,** landing gear, landing chassis; **en — de,** busy, in the act of
trait, *m.*, trait, instance, mark, line, feature, " atom "; **avoir — à,** to concern
traité, *m.*, treatise
traiter, to treat; **— de,** to deal with
trajectoire, *f.*, trajectory (*course of a moving projectile*)
trajet, *m.*, journey, course
tramway, *m.*, trolley car
transcendant, *a.*, transcendental
transformisme, *m.*, evolution
travail (*pl.* **travaux**), *m.*, work, labor
travailler, to work
travers: au — de, through; **à —,** through
traversée, *f.*, crossing
traverser, to cross, to pass through
treize, thirteen
trempe, *f.*, tempering, hardening (*of metals, such as steel*)
trente, thirty
trépidant, *a.*, agitated, hectic, bustling
trépidation, *f.*, tremor, vibration (*of the ground*)
très, very
trésor, *m.*, treasure
trêve, *f.:* **sans —,** unceasingly, " without intermission "
tribune, *f.*, rostrum; **— publique,** public gallery
trié sur le volet, very select (company)
trimoteur, *a.*, three-engined
trinité, *f.*, trinity
triompher, to triumph; **— de,** to triumph over
tristesse, *f.*, sadness
trois, three
troisième, third
tromper: se —, to make a mistake, be wrong (mistaken)
trop de choses, too many things
trou, *m.*, hole; **— d'air,** air pocket
trouble, *m.*, worry, uneasiness, confusion, disturbance
trouver, to find; **se —,** to be
T.S.F., *abbr. for* **télégraphie sans fil,** wireless telegraphy, radio
tuer, to kill
tuyau, *m.*, pipe
tyran, *m.*, tyrant, despot

U

U bis, *the name of a bus line in Paris*
ultérieur, *a.*, subsequent
ultra-sonore, supersonic, above the audible range
unanime, *a.*, unanimous
unique, *a.*, single, only
uniquement, only, solely
unir, to unite, join
unité, *f.*, unity, unit
universel, *a.*, universal, worldwide
urane, *f.*, uranium oxide (*chemistry*)
uranyle, *a radical* (UO_2) *held to exist in many compounds of uranium*
urbi et orbi, *a Latin phrase which*

freely translated means everywhere
usage, *m.*, use
user, to wear out
usine, *f.*, factory, plant
usure, *f.*, wear (and tear)
utile, *a.*, useful

V

vague, *a.*, vague, uncertain, " vacant "; *f.*, wave
vaillant, *a.*, well and strong
vaincre, to conquer
vainqueur, *m.*, conqueror
valeur, *f.*, value, worth
vallon, *m.*, " lowland "
valoir, to be worth, gain, win, yield, be as good as; **— qu.ch. à qu.un,** to win sth. for s.o.
vapeur, *f.*, steam, vapor
variété, *f.*, variety, " variation "
vaste, *a.*, vast, comprehensive
Vaugirard, *an important avenue in Paris*
vécu, *pp. of* **vivre**
vécut: il —, he lived (**vivre**)
végétal, *m.*, plant
veille, *f.*, eve, night before; day before; **à la — de,** at the point of, on the verge of; **l'avant-—,** two days before; **la — au soir,** the evening before
veiller, to be careful, to watch
vendre, to sell
vendredi, *m.*, Friday
vengeur, *m.*, avenger
venir, to come; **— de,** to have just; **en — à qu.ch.,** to come to sth.
vent, *m.*, wind
verbal, *a.*, verbal
véritable, *a.*, true, genuine, real
vérité, *f.*, truth, reality
verra: il —, he will see
verre, *m.*, glass
verrière, *f.*, glass casing
vers, towards
vert, *a.*, green, vigorous
vertèbre, *f.*, vertebra
vêtement, *m.*, clothing
vêtu, clothed, dressed
vétuste, *a.*, decrepit
veuve, *f.*, widow
viable, capable of living, enduring
vide, *m.*, vacuum; *a.*, empty, void; **à —,** empty
vie, *f.*, life
vieillard, *m.*, old man
vieillesse, *f.*, old age
vieux, vieille, *a.*, old
vif, *a.*, bright, keen, vivid
ville, *f.*, city, town
vingt, twenty
virtuose, *m.*, virtuoso
virus, *m.*, virus (*a poisonous substance produced in the body as a result of some disease or germ*)
visage, *m.*, face, countenance
vis-à-vis, with relation to
viser à, to aim at, aspire to
visiter, to visit, " probe "
vit: il —, he saw (**voir**)
vite, quickly
vitesse, *f.*, speed, velocity
vitré, glazed
vitrière, *f.*, glazier's wife (**vitrier,** *m.*, glazier)
vivant: de son —, during his lifetime; *a.*, lifelike, living
vivement, eagerly, quickly
vivre, to live, live through

voici, here is, here are; **le —,** here it is
voie, *f.*, path, road, way, process, route, method
voilà, there is, there are, that is
voiler, to veil
voilure, *f.*, wings, flying surface (*aviation*)
voir, to see
voire, or even
voisin, *m.*, neighbor; *a.*, neighboring, next, near-by, in the neighborhood
voisinage, *m.*, vicinity, neighborhood
voisiner avec, to be placed side by side, be near
voiture, *f.*, wagon, conveyance, vehicle, carriage; **— de livraison,** delivery wagon
voix, *f.*, voice
vol, *m.*, flight; **— plané,** gliding flight, glide
voler, to fly
volontairement, voluntarily, spontaneously
volonté, *f.*, will, will power
volontiers, willingly, gladly
voltige: en —, like a gymnast (trapezist)
volupté, *f.*, sensual pleasure *or* delight
vouer: se — à, to devote oneself to
vouloir, to want, wish; **— bien,** to be kind enough to; **— dire,** to mean
voulu (*pp. of* **vouloir**), necessary, required
vrai, *a.*, true
vraiment, truly, really
vraisemblable, *a.*, probable, likely
vue, *f.*, sight, view, gaze
vulgaire, *a.*, commonplace, common, ordinary
vulgarisateur, *m.*, popularizer (*of knowledge*)
vulgarisation, *f.*, popularization

Y

y, there, in it, in them, at it, at them; **il — a,** there is, there are; **il — a lieu,** there is reason to, there is occasion to; *see* **comprendre**
yeux, *pl. of* **œil**

Z

zèle, *m.*, zeal